La mémoire du funambule

ROMAN

Bruno Crépeault

La mémoire du funambule

ROMAN

Éditions du Quartz

Les Éditions du Quartz
74, avenue Pelletier
Rouyn-Noranda (Québec) J9X 4W8
leseditionsduquartz@gmail.com
www.editionsduquartz.com

Conception graphique, montage et couverture :
Stéphen Lafrenière, Créations Double-Clic inc.

Révision : Suzanne Dugré, Jean-Guy Côté et Évelyne Papillon

Dépôt légal : 2e trimestre 2012
Bibliothèque et Archives nationales du Québec
Bibliothèque et Archives Canada

La publication de cet ouvrage a été rendue possible grâce à la contribution financière de la Conférence régionale des élus de l'Abitibi-Témiscamingue et des caisses Desjardins de Rouyn-Noranda et de la Forêt enchantée.

Caisse de Rouyn-Noranda
Caisse populaire de la
Forêt enchantée

Catalogage avant publication de Bibliothèque et Archives nationales du Québec et Bibliothèque et Archives Canada

Crépeault, Bruno, 1972-

La mémoire du funambule
(Collection Roman)
ISBN 978-2-924031-02-5

I. Titre.

PS8605.R463M45 2012 C843'.6 C2012-940692-9
PS9605.R463M45 2012

À mes parents, Nicole et Adrien,
sans qui vous n'auriez pas ce livre entre les mains.

Ô Seigneur, s'il y a un Seigneur,
sauvez mon âme, si j'ai une âme !
Renan

Anna...

Tu marches en forêt, et moi, juste à côté, j'hésite encore à prendre ta main...

Les feuilles mortes ouvrent un chemin sous tes pas, comme si elles te tenaient pour reine.

Je respire...

... je respire pour la première fois, pour la millième première fois depuis que je t'ai embrassée, et pourtant mon âme tangue de peine.

Et si je te perdais, Anna? Si je te perdais dans cette forêt immense?

Si je fermais les yeux un instant et que je me retrouvais perdu, marcheur esseulé, les feuilles se refermant sur mes pieds, feuilles jaunes d'amertume, rouges de colère, qui me soufflent:

« Où est la reine? Où est la reine? »

Anna... entends-tu?

Un rire.

Moi je l'entends, pur à faire fleurir le monde, une cascade légère, un rire d'enfant.

C'est elle.

C'est Élia.

Comme elle est jolie, Élia, dans sa robe bleue, et son

air ingénu m'attendrit. Elle agite une main de haut en bas. Je lui réponds et son visage s'éclaire, blanc de bonheur, plus blanc que neige. Une béatitude.

Élia, mon cœur, ma rose, je t'aime.

Papa t'aime.

Puis tout mouvement cesse et la nuit tombe vite, comme un décor.

Anna ? Élia ?

Ce n'est pas la nuit, c'est beaucoup trop sombre pour être la nuit.

Sombre. Lourd. Et silencieux.

Main invisible sur ma gorge, la peur s'installe, à la fois foudroyante et familière.

Anna, où sont les arbres, où est ta main ?

Où est la forêt, petite Élia ? Où sont les rires ?

« Attendez-moi ! »

J'appelle ; mais ma voix reste éteinte.

J'ouvre les yeux ; ils ne voient que le masque de mes paupières.

Je bouge les bras ; à mon corps ils semblent soudés.

Puis je comprends, dans un éclair limpide, fatal.

Même la nuit n'est pas si noire, si vide.

Ici, ce n'est pas la nuit, c'est la mort.

La mort.

... sauf pour le bruit de la pluie sur une fenêtre.

10

La pluie s'acharne sur la vitre, grisant intempestivement ce jour d'été. Pluie que la gravité, inexorable force, attire à la terre en un rideau d'argent ; elle viole chaque fissure, lèche toutes les surfaces, ridiculise le marcheur en retard. Divine ou maudite, elle s'abat sur le monde comme un baume. Ou une maladie. Et pourtant, lorsqu'elle cesse, les sens sont assaillis de visions nouvelles, d'odeurs particulières, impossibles à retrouver par temps sec : l'arc-en-ciel, le parfum de l'herbe mouillée, les vers qui dansent dans un jardin de perles, l'asphalte noirci et propre, le sel dans l'air, résidu de nuages...

Derrière lui, un son.

Schtak.

Puis une voix.

– Jacob, tu vas rester longtemps à cette fenêtre ? Tu vas attraper la foudre. Recule un peu.

Immobile, Jacob attend.

Attend.

Puis, espérée, cette foudre, grandiose et éphémère, traverse le ciel avec colère, coups de ciseaux dans le gris céleste.

– Tu vois ?

Schtak.

– Jacob, tu m'écoutes ?

Non. Le garçon entend sa mère, mais il écoute la pluie. Le visage collé à la vitre, il tente de sentir les gouttes qui explosent tout près, si près. Il veut sentir la pluie et oublier tout le reste. Et c'est justement quand il veut oublier qu'il repense à l'ange. C'est comme un réflexe, un sursaut ; elle n'est pas dans sa tête, puis elle y est.

L'ange.

Schtak.

– Toute l'heure passée à regarder la rue aurait pu être mise à profit, tu sais. À ranger ta chambre, par exemple.

Ça pourrait être pire, pense le garçon, le front pressé contre la fenêtre froide. L'ennui, c'est qu'il ignore *comment* ça pourrait être pire, mais il le sait ; des samedis après-midi comme celui-là, il lui en reste des milliers à passer, voire des millions. Juin n'est pas promesse de beau temps. Même à dix ans, on sait ça.

Bien pire, convient Jacob ; il aurait pu pleuvoir et lui, devoir aller en classe lundi prochain. Or, les vacances ne font que commencer.

C'est l'été, Jake, mon pote. Une averse, c'est pas éternel.

À cet instant, les cieux sont zébrés d'un éclair incroyablement long, une planète de long, dont la puissance s'imprime dans les yeux du garçon.

– Jacob ! Pour l'amour, vas-tu reculer s'il te plaît ?

L'enfant se tourne, l'éclair dansant encore devant lui, superposé aux murs beiges du salon, aux motifs du tapis, et, plus loin, à la silhouette de sa mère, assise dans la cuisine devant une montagne de tabac, de filtres vides et de paquets ouverts.

Flanquée d'un cendrier plein d'où s'élève un long doigt de fumée, Simone Bespin roule des cigarettes comme si sa vie en dépendait (et c'est peut-être le cas, pense Jacob).

Schtak. Schtak. Schtak.

Une usine en forme de maman, quoi.

– C'est pas dangereux, maman. L'orage est loin au sud.

La femme rit tout en bourrant sa machine d'une poignée de tabac : son rire est une sorte de caquetage fatigué, pénible, qui vire immanquablement à la toux et chipe à chaque fois un bout de cœur au gamin.

Elle reprend son souffle.

– Et comment tu sais ça ? Qu'il est loin l'orage ? Et qu'il est au sud ?

Jacob hausse les épaules, retourne à la fenêtre et soupire. Entendre sa mère rire comme ça lui fait ce drôle d'effet. Comme un reproche. Une punition.

Il préfère se concentrer sur la dense chute de pluie, sur les cieux en émoi, qui ramènent ses pensées vers l'ange.

L'ange.

Et il ne peut s'empêcher de sourire. Un peu.

Penser à ça à son âge, ça peut pas être très bon pour la tête, que son ami Sam lui a souvent répété.

Moi j'y peux rien. L'ange, elle est pas dans ma tête, puis tout à coup elle y est, que Jacob lui a toujours répondu.

Sur le monde, l'eau coule en rigoles ; elle déforme ainsi le blanc mirage qui a surgi on ne sait d'où avant de s'échouer juste en face, de l'autre côté de la rue. Jacob aiguise son regard et parvient à distinguer un grotesque visage de clown avec des dents trop joyeuses sous un arc-en-ciel de mots.

LA GLACIÈRE AMBULANTE
36 SAVEURS DE CRÈME GLACÉE

D'elle-même, sa main gauche glisse jusqu'au fond de la poche de son jeans ; ses doigts se referment sur quelques pièces de monnaie. Un maigre trésor. Jacob esquisse un sourire : celui d'un enfant de dix ans qui, soudain, a oublié qu'il s'ennuie.

En courant, il traverse la cuisine et les volutes de fumée qui flottent dans l'air, comme un linceul. Il attrape son coupe-vent et s'en vêt avant d'enfiler ses bottes.

– Où tu vas ? C'est le déluge dehors ! Tu vas rejoindre Sam ?

Mais la porte est refermée avant la suite de l'inquisition.

Fumée à l'intérieur, pluie à l'extérieur.

Schtak schtak fait la machine.

* * *

Le garçon se tient au bord du trottoir, déjà trempé jusqu'à la moelle. Il regarde le vieux camion au blanc défraîchi, son clown et son lettrage. Dix ans. Droit comme un piquet. Habillé de tissu et d'eau. Mais il aurait pu tout aussi bien être au flanc d'un précipice, avec le camion de l'autre côté. Ou sur la rive d'un fleuve aux profondeurs insoupçonnées.

Le garçon est là et sent que tout peut changer, que tout *va* changer s'il fait un pas de plus, petit pas, grand pas, en chaussures ou pieds nus, un de ces pas existentiels que l'on chérit en mémoire longtemps après qu'il ait été franchi.

Ou que l'on regrette, comme un pardon refusé.

La monnaie enfouie dans son poing est devenue humide et semble vibrer tel un avertissement. Des sous qu'il a économisés prudemment, que sa mère lui interdit de dépenser en folies. Jacob se demande si ce n'est pas une mauvaise idée, après tout ; il se sent comme un fugueur sur le point de mettre son plan en branle. Puis il se tourne vers la maison, contemplant du monde extérieur, cette fois, la grande fenêtre du salon.

Parmi les lourds nuages qui s'y reflètent et les gouttes qui s'y fracassent, la braise immobile d'une cigarette se tient à bonne hauteur.

C'est pas une question d'amour, maman, pense Jacob. *C'est une question de vide. Notre maison est vide. Je veux juste un cornet et je reviens. Promis.*

La braise, d'abord pâle et faible, devient ardente, puis pâle à nouveau, puis orange incandescent.

Schtak, pense Jacob avant de traverser la rue, là où attend l'étrange camion.

Sur le panneau fermé, trois coups secs.

De l'intérieur, du mouvement et une voix. Bourrue.

– *Chwila!* Minute!

Jacob recule d'un pas, par crainte de recevoir le panneau sous le menton.

Celui-ci reste clos, mais la voix se fait quand même plus claire.

– V'savez qu'y pleut, jeune homme? C'est l'averse.

Sa tête blanche sortie de la cabine côté passager, un vieil homme aux rides sympathiques fixe le garçon détrempé. Qui se répète pour lui-même, observant le temps:

– C'est vraiment l'averse.

– Vous en avez à la mangue?

L'homme s'apprête à mentir au gamin. Il va le

faire sans honte. La honte, il ne la ressent plus depuis belle lurette. Il pense aux croix ; quand on change de pays, il faut en faire des croix, et en porter aussi. Cet homme-là a laissé beaucoup plus là-bas qu'il n'en a apporté. *Le monde a changé, dit-on*, mais il sait que c'est faux. Le monde est le même depuis toujours ; ce sont les gens qui changent. La pluie reste pluie, la terre reste terre, le vent reste vent. Les gens, eux, ne restent pas. Ils vivent et meurent. Ou changent de pays. Personne ne reste. Jamais.

– Si vous en avez pas à la mangue, j'en prendrai aux fraises. S'il vous plaît.

Personne ne reste sauf un gamin, en plein déluge, qui veut un cornet de crème glacée.

Et à ceux qui restent, on ne ment pas.

– J'ai la meilleure crème glacée à la mangue en ville, petit. Attends, j'ouvre le panneau.

– Merci.

– ... deux p'tits crochets à ajuster, et voilà. Bon. Monsieur désire un cornet à la mangue. Excellent choix, si je peux me permettre.

– Merci.

– Pas d'quoi, c'est mon métier. (L'homme pose les coudes au bord de la fenêtre de service et montre le ciel de l'index.) Et d'ailleurs, c'est une journée parfaite pour la mangue.

– Vraiment ?

– Ben oui. Vous savez combien il en faut d'eau à un manguier pour produire ses fruits ?

Jacob cherche derrière ses yeux l'image d'un manguier. En vain.

– Aucune idée. (Ce que l'enfant sait, par contre, c'est que, s'il pouvait voir à travers le camion, la braise orangée d'une cigarette percerait le rideau d'argent de la pluie.)

– Moi non plus. Mais ça lui en prend des litres, ça, c'est sûr.

– Sûr.

– Et si toutes les gouttes tombées aujourd'hui ne font pas des milliers de litres, je vends ma glacière !

Jacob rit, et le poing qui étreint ses pièces se détend enfin. Le marchand de glace lui rend son rire, un rire comme des coups de tuba, ou des sifflets de paquebots.

Un rire d'homme, se dit Jacob, heureux. *C'est ça, un rire d'homme.*

– Un cornet à la mangue hein ? Z'avez d'quoi payer, j'espère.

– Voici tout ce que j'ai. Ce n'est pas beaucoup... en fait, presque rien.

– Ça tombe bien ; presque rien, c'est le prix de ce cornet. Voyons voir... dix, quinze, vingt-cinq, eh ben, vous avez le montant exact, monsieur. Monsieur... ?

– Jacob. Jacob Bespin.

– Et moi, c'est Leander Smitrovich. Et voilà un cornet dont vous vous souviendrez, monsieur Bespin.

Monsieur Bespin, pense Jacob, ravi de l'élégance toute simple, de la distinction suave de ces mots. *Si j'avais eu un père, c'est comme ça qu'on l'aurait appelé : monsieur Bespin. Nous serions allés ensemble à la quincaillerie pour acheter un marteau, parce que le nôtre se serait brisé alors qu'on construisait une cabane tous les deux, en haut d'un arbre. À la caisse, le propriétaire de la quincaillerie l'aurait accueilli en disant : « Monsieur Bespin ! Fait plaisir de vous revoir ! C'est votre garçon ? C'est qu'il vous ressemble, pas possible, monsieur Bespin. Dites donc, un marteau neuf ! Vous seriez pas en plein ouvrage, tous les deux ? – Oui, oh oui, que j'aurais répondu. Moi et mon père, on construit–*

– Hé, garçon, elle va fondre, votre crème glacée.

– Oh pardon... Dites, ça vous dérange pas si je reste un peu sous le panneau ? Le temps que je la finisse ?

– Tiens, z'avez remarqué qu'y pleuvait ? Voilà qui m'rassure ; à marcher sous la pluie, on peut attraper la mort, non ? Bref, prenez le temps q'vous voulez. Je refuserais pas un peu de compagnie, moi-même, v'savez. Même silencieuse.

– Merci.

L'orage se déplace lentement vers l'est, poussé par les vents ou de sa propre volonté ; peut-être a-t-il aperçu une autre ville à nettoyer, d'autres lieux à purifier. Ou peut-être, et cela semble plus plausible, a-t-il convenu que Jacob Bespin en avait eu assez pour aujourd'hui. Place au soleil, afin qu'il peigne d'or le vestige humide des rues.

Je n'avais pas pensé à mon père depuis longtemps, admet Jacob. *Ça me change de penser à l'ange. Comment elle s'appelait, déjà ? Réfléchis, Jake. C'était pas un nom de fleur ? Ça lui irait bien, un nom de fleur. Rose, Iris...*

– Jacinthe, Marguerite...

– « L'homme qui aime tout bas pense tout haut. » Seriez pas amoureux, monsieur Bespin ?

– Hein ?

Jacob ignore depuis combien de temps il a quitté la maison. Quinze minutes ? Une heure ? Nul doute que sa mère le sermonnera sur le danger de parler à un étranger, qu'il ferait mieux, à l'avenir, de rester docilement avec elle et, pourquoi pas, d'aller ranger sa chambre, tiens.

Non, merci.

De toute manière, cet homme vient de mettre un mot sur l'état pitoyable dans lequel il se trouve quand il pleut. Mot qui explique la morosité de certains livres lus, le vide que creusent certaines mélodies, le sommeil qui ne vient parfois que bien tard et le réveil trop tôt, quand il scinde des rêves de miel et d'anges...

Désormais, Jacob se sait ni cinglé, ni triste, ni trop mature, ni ridicule, il est seulement...

– Amoureux... vous croyez que c'est possible d'être amoureux à dix ans, monsieur Smi... Smi...

– Smitrovich. Et oui, oui je le crois. Je crois que tout est possible à dix ans. Comment s'appelle-t-elle, dis-moi ?

Le vieil homme a pour lui un regard profondément doux. Jacob fait non de la tête, la déception ravivée.

– Son nom je l'ai oublié. On ne s'est jamais parlé, vous comprenez. Ou plutôt juste une fois. Mais c'est elle qui a parlé. Moi... moi j'ai pas pu.

– Dis donc, elle devait être fichtrement belle...

– Oui. Elle était... (tout son corps se détend car il la revoit, clairement, une icône dans son esprit.) Elle était parfaite.

Jacob sourit à nouveau, le regard lointain. C'est agréable, sourire. Même quand on ne sait pas trop pourquoi. Il réalise que la pluie s'est tue et a fait place à quelques rais diffus.

Smitrovich approuve du chef.

– Parfaite, hein ? Faudra q'vous me racontiez ça, un de ces quatre, monsieur Bespin. (L'homme détache l'un des crochets retenant le panneau.) Pour l'instant, faut q'je file ; avec le soleil qui se montre, je dois reprendre ma tournée.

– Quelle heure est-il ?

– Tout juste onze heures.

– Onze heures ? Sam doit m'attendre ! Je dois y aller ! Merci, monsieur ! Super cornet à la mangue ! Merci encore !

Et Jacob, vieux de dix ans déjà, laisse le camion blanc derrière lui, l'éclat du sourire clownesque renouvelé sous les rayons dorés ; il laisse aussi la maison dans laquelle il grandit depuis toujours, la maison et son unique occupante, prise dans un constant nuage de fumée ocre, mélange lourd de tabac et d'une inexplicable tristesse.

Leander Smitrovich, vieux de soixante-quatre ans déjà, regarde le petit bout d'homme et sourit. *L'été sera bon*, pense-t-il.

C'est l'été, et Jacob court.

Je veux vivre.

Je veux être applaudi par les foules, pleure l'artiste oublié.

Je veux être consacré roi, rage le prince chevauchant vers le front.

Je veux être riche, geint la vieille, les ongles grattant le billet de loterie.

Je veux mourir, implore l'animal en cage.

Or moi, je veux vivre.

Je veux vivre.

Juste vivre.

Revoir la mer, reboire le vin, relire les livres, redire les mots.

Vivre.

S'il me faut faire les plus intenables promesses.

Si je dois monter l'Everest pieds nus.

Si je dois manger du rat cru, du bois mort ou ma main gauche.

S'il me faut épouser la vierge éternelle.

Soit.

Je veux vivre.

Je veux vivre.

(noir)

Ne pas sombrer. Ne pas sombrer.

Il était une fois une bergère borgne, ses moutons se sauvaient vers le nord. Quand les ennemis du palefrenier mirent le feu à l'étable, avec une bride il se pendit. Le feu passe au jaune, au rouge, puis au vert. Au jaune, au rouge, puis au vert.

Continuer à penser pour ne pas mourir, ne pas sombrer.

Le poète chantait l'herbe, et l'herbe lui répondait : chante.

(Noir)

Ne pas s'éteindre !

Le lion nonchalant suit la route qui longe la lande. Si un et un font deux, pensa le jumeau, j'emmerde les mathématiques. Singing in the rain, singing in the rain.

(NOIR)

Qu'on ne me laisse pas m'éteindre !

Je me souviens, ô mémoire, de ces heures perdues à me rappeler. Libérez-moi, supplie le maillon à la chaîne. On coupa la pomme et dans tout le hall, les enfants humèrent l'arrivée du printemps.

La pomme.

L'odeur de la pomme.

... la pomme, et la rose habillée d'une robe bleue.

9

C'est en guise de compromis qu'ils ont choisi cet endroit et, dans son for intérieur, Jacob est d'avis que c'est le meilleur qu'il ait jamais fait. Des vacances imprévues et méritées, loin de l'école, de la ville. Ensemble, loin du monde.

– Je suis content d'être là, Anna.

Et cela est vrai, aussi vrai que la lune brille ou que les oiseaux chantent. Vrai. Comme une blessure qui élance au rythme du cœur, insistante. Aussi vrai qu'à la seconde où la lame vicieuse ouvre la paume, le corps met en branle les mécanismes qui font se cicatriser la blessure.

Vrai.

– Je t'aime, dit Anna avec, dans la voix, ce délicieux accent germanique – comme des petits chapeaux de soie sur les consonnes – accent qui a séduit Jacob lors de leur toute première rencontre (et l'un des nombreux détails qu'il aime – malgré tout – se remémorer de cette journée particulière).

Le relief du pommier lui mord les muscles du dos, mais il refuse de bouger. Cet instant idyllique, cette scène parfaite, il veut qu'elle dure et dure ; il aurait voulu qu'un peintre soit ici, à ce moment même, l'un de ceux de la Renaissance, et transpose sur canevas l'image mentale qu'il a d'Anna et de lui au pied de l'arbre. Un tableau. Réussi au point qu'on parviendrait à capter des parfums fruités, comme s'ils émanaient de la fresque.

Un chef-d'œuvre, vraiment.

Anna, blottie contre sa poitrine et lui, les bras noués à sa taille ; ils respirent en synchronie. Leur regard suit une tache bleue qui saute et court dans le parc, plus loin. Petite tache rieuse, fringante comme une rose secouée par le vent, jolie tache qui appelle :

– *Schau mama ! Schau papa !* Regardez ! Regardez !

Rose bleue qui culbute dans l'herbe, comme une musique vivante.

Heureuse Élia.

Anna pose une main sur son ventre.

– J'en veux un autre, Jacob. Je veux un autre enfant.

Une ombre passe; Jacob tente de la chasser.

– Tu as tellement eu peur de perdre le premier.

– J'aurai tout aussi peur pour le deuxième, idiot !

Elle rit.

– Mais ça ne change rien.

– Je sais.

Tel le plus joli pendule du monde, la rose bleue, assise sur une balançoire de bois, leur fait de grands signes. Leurs mains jointes se lèvent d'un seul mouvement et lui répondent. Contente, la rose oscille, va de plus en plus haut. Jacob, dans un murmure :

– Élia, sois prudente.

Leurs mains retombent.

– Elle l'est, Jacob. Cesse de t'inquiéter, je t'en prie. Regarde-la, c'est tout.

L'inquiétude de ne pas être là rapidement si elle trébuche, à ses côtés si elle pleure, de ne pas la protéger suffisamment des torrents mesquins de l'adolescence et des longs silences qui empestent le monde adulte.

– Tu sais ce qui m'effraie le plus dans l'idée d'être à nouveau père ?

– Continue.

– D'être différent.

– Différent comment ?

L'ombre repasse, grise et froide.

– J'aurais peur de ne pas l'aimer autant que j'aime Élia.

Les doigts d'Anna se resserrent entre les siens.

– D'être injuste, tu comprends ? Qu'Élia sente que j'ai changé, qu'elle n'a plus la même place, ou que l'autre ne me demande plus que je ne peux en donner, que...

– Papa !

Élia rejoint ses parents à la course, au comble de l'excitation.

– Papa ! Il y a un clown là-bas...

Un clown.

Jacob frissonne.

– Il donne des ballons ; je peux en prendre un ? Je peux, oui ?

(Elle était costumée en clown ; son regard était si

triste. Soumis.)

– Et ils font des maquillages ! Je peux me faire maquiller en clown ?

Une main touche sa joue. Anna.

– Jacob, ça va ?

Reviens ici et maintenant, Jake. Reviens à elles.

– Oui Élia. C'est O.K. pour le ballon, mais pas de maquillage. Tu sais comme ton papa a peur des clowns ! Et tu restes tout près, hein ? Promis ?

– *Danke Papa!* (Elle s'éloigne, tourbillon de bonheur.) Hé! Attendez-moi ! J'en prends un, moi aussi !

– Qu'est-ce que tu as, Jacob ?

Il sourit, et l'ombre s'envole. Pas très loin.

– T'as vu son regard ? Je ne supporterais pas que le regard d'Élia change, Anna.

– Mais il changera, Jacob, que tu le veuilles ou non. La vie change, tu changes, Élia aussi. Elle n'aura pas sept ans toute sa vie.

– Je voudrais bien...

La fillette glisse : derrière elle flottent ses blondes nattes et un ballon. Élia atterrit sur le derrière et éclate de rire.

– Ce que j'espère, c'est que le jour où on remontera l'allée la menant à l'autel, son bras sûr croisant le mien, tremblant, dans le dernier regard qu'elle aura pour son père avant de rejoindre le chanceux qui nous l'aura prise, il y aura le même éclat, le même aveu qui s'y trouve aujourd'hui.

Dans l'ombre du pommier, Anna pose un baiser tendre sur les lèvres de Jacob.

Juste au bon moment, comme elle le fait si souvent.

– Je t'aime, Jacob, dit encore Anna.

Ils soupent à l'une des tables de pique-nique qui jonchent le terrain herbeux, tandis que la chaleur du jour est emportée par une douce brise. Élia est en appétit ; elle enfourne une kyrielle de tranches de pommes et de chips entre deux courses avec le gardien de l'auberge, un chien bruyant dont l'allure rappelle celle d'une brosse de balai.

– Tu viens jouer, Papa ?

Le corps et l'esprit alourdis par une troisième coupe de vin, Jacob se contente de sourire.

– *Bitte !* fait Élia.

S'il te plaît. Au moins, il arrive à comprendre sans effort ce mot-là. *Ich liebe dich*, aussi. *Je t'aime.* Il fait à Élia une promesse :

– Tout à l'heure.

Élia prend un air désappointé ; le chien griffe l'ourlet de sa robe bleue en jappant joyeusement. Anna souffle à la fillette :

– *Ich glaube, er ist zu alt um mit dir zu spielen*, dit-elle, ce qui fait crouler de rire Élia qui en a bientôt les larmes aux yeux, larmes dont se délecte le chien.

Jacob s'insurge avec tout le talent d'un mauvais acteur.

– Qu'est-ce qu'elle a dit, ta mère ? Qu'est-ce qu'elle a dit encore ?

– *Zu... alt!* bégaie Élia, incapable de boucler sa phrase.

– Tsou-alt-quoi ? Qu'est-ce que vous racontez, toutes les deux ?

Anna lève les mains en l'air, geste qui se veut exemption de toute faute.

– Secret de filles, dit-elle, peinant à garder son sérieux.

– *Zu alt!* rit toujours Élia, yap-yap fait le chien, rien-à-y-faire mime Anna, bombardant à qui mieux mieux une série de clins d'œil malins.

Jacob savoure ce moment, s'en laisse marquer jusqu'aux confins de sa mémoire ; le bonheur, c'est ça, et il n'en demande pas plus.

* * *

L'auberge est paisible et embaume le bois sec et les effluves des cuisines tandis que, par la moustiquaire, filtre le chant constant des criquets. La télé reste éteinte, tradition établie depuis leurs premières vacances. Seule une radio joue dans les appartements d'à côté – ceux des propriétaires, suppose-t-il, Anna, Élia et lui étant les seuls pensionnaires en ce mercredi de juillet. Le couple de Belges qui gère l'auberge – madame à l'accueil et monsieur aux cuisines – écoute un concerto pour guitare qui berce Jacob.

Sa tête creusant à peine l'oreiller, Élia dort déjà. Pendant les vacances, la route est longue, les journées bien remplies et, parfois, les émotions fortes, comme elles l'ont été lors de la visite au zoo. La première visite d'Élia dans un zoo. Elle ignore que, pour son père aussi, ce fut la première fois.

Errant dans les méandres de ses rêves, Élia parle de lions – peut-être *à* des lions –, de singes criards et de sauts sur trampoline, vœux et souvenirs entremêlés. Sa main rose tressaute, nourrissant en songes chèvres, biches ou moutons, ou caressant la toison d'or de quelque animal fabuleux.

Rêve, mon cœur, ma rose, pense Jacob. *Rêve jusqu'à demain.*

D'une porte entrouverte, il perçoit les clapotis de l'eau du bain dans laquelle est plongée Anna ; il n'a qu'à fermer les yeux pour la voir nue sous le nuage de mousse.

Et si j'osais, se dit-il, ses pensées à la dérive vers la baignoire.

Et si j'allais te rejoindre, si je laissais sourdre ces élans de tendresse sans retenue, promener sur ton dos le savon parfumé, glisser mes doigts dans tes cheveux, puis sur tes seins, en une lente procession amoureuse, une caresse, un jeu ; tu étends tes bras blancs et j'en embrasse chaque centimètre ; au début, tu ris, gênée, puis tu t'arrêtes et moi pas, « Surtout pas » tu dis, Élia dort toujours, notre rose dormira jusqu'à demain, et soudain je suis nu moi aussi, tu m'as invité, et je te rejoins dans cette douce escale – une oasis – je penche la tête sous tes mains en coupe et c'est un baptême ; à l'oreille, tu me sucres l'ouïe de quelques mots et je m'embrase, tout s'embrase, c'est un baptême de feu, et moi, de désir irradiant, je te dis : « Faisons-le, cet enfant. » Des larmes se mêlent à la vapeur qui flotte en l'air quand tu acquiesces et dis : « Oui, faisons-le. »

Puis Jacob cesse de rêver.

Et ose.

À quoi pense le pendu juste avant que ne s'arrête le tressautement de ses pieds ?

Le guillotiné, sa tête tombant au fond du panier ; l'électrocuté, quand le grésillement cesse enfin ?

« Toutes les histoires se sont résolues ? Tous les chemins ont été empruntés ? »

Ici, on ne trouve de réponse à aucune question.

Le néant. Le rien. La fin.

« Mourir seul serait l'enfer », a dit Tibérius aux légions à l'aube de l'assaut.

Enfer, me voici.

Si seulement je me rappelais le comment et le pourquoi. Je ferme ce qui tient d'yeux à mon âme, cherchant à me souvenir de la dernière minute, de l'ultime seconde avant que tout ne s'éteigne, avant que je ne me retrouve dans cet étrange endroit sans balise, sans couleur ni odeur, à la merci du néant et de son infinie profondeur.

Suis-je l'unique responsable, ou dois-je en blâmer un autre ?

Si j'avais cru en Dieu, serais-je quand même prisonnier de cet entre-deux mondes ?

Le passé m'échappe, le présent est informe, l'avenir obscur.

Que me reste-t-il donc ?

L'attente.
Je suis en éternelle attente de l'éternité.

Et la peur.

... il me reste la peur.

8

Une fille en jupe noire offre un plateau garni de verres à lui et à Sam qui, déjà, file allègrement vers l'ivresse. La musique est une arme déchaînée, les danseurs, des guerriers en transe, et l'alcool un poison que l'on paie volontiers. Jacob lève une main en guise de refus ; la fille au plateau lui jette un regard qu'il ne sait qualifier de séducteur ou de dédaigneux. L'air saturé de fumée et de relents de fond de bouteilles, odeur rance, puante de vieux malt, lui vire l'estomac.

Mais pas autant que la mine abattue et béate de son ami, une épave qui prend l'eau, vraiment. Il le sent prêt à s'effondrer, alcool ou pas, depuis belle lurette.

Si ce n'était de Sam, Jacob serait ailleurs.

– Tu bois plus, Jake ?

– Depuis longtemps.

– Ça va pas, hein ?

– Je te retourne la question, Sam. En mille. Toi, comment tu vas, *toi* ?

Un silence perce la musique. À tressaillir. Puis :

– Vise un peu qui est assis sur deux bancs au bar. Ce gros con de Tommy le Tonneau !

Sam prend l'air mauvais, esquisse un geste vers le bar, les poings serrés.

D'une main ferme, Jacob attrape le bras de son copain.

– Cherchons pas d'ennuis ce soir, Sam. T'es pas en état. Je crois plutôt qu'il faudrait qu'on se parle. Et ici c'est pas le meilleur endroit.

Sam lève son verre, le vide cul sec et, grâce aux réflexes d'un joueur de billard alerte, se voit épargner une chute à la renverse. À nouveau droit sur sa chaise, la présence de Tommy le Tonneau déjà oubliée, il parvient à articuler, ou à peu près :

– Quoi ? Qu'est-ce qu'il a, cet endroit...

La phrase meurt abruptement sur les lèvres de Sam –des lèvres devenues minces comme un fil. Son regard va se perdre quelque part derrière Jacob. Quelqu'un vient d'entrer dans le bar : un garçon du même âge qu'eux, chemise beige, cheveux noirs et courts, l'expression étrangement pareille à celle qu'arbore Sam.

Des yeux comme un secret.

Il passe devant eux, glaçant l'air déjà froid autour de la table. Quelque chose – un mot, un message, une accusation – brille dans son regard et il va se perdre dans la foule tumultueuse sur le plancher de danse.

– T'as raison, Jake, concède Sam. Partons. Plus rien à faire ici.

* * *

Ni l'un ni l'autre des deux adolescents ne peut renier sa nature : Sam, entêté, insiste pour conduire sa Trans-Am et Jacob, las, abdique.

– C'était qui, ce gars ?

– T'as entendu le dernier album des *Cars* ?

– Réponds-moi, Sam. C'était qui ce garçon-là ?

– Tu l'as entendu oui ou non ?

– Non Sam. J'ai pas entendu le dernier des *Cars*.

– Alors écoute bien ça.

Courte attente, puis implosion de sons à vous rompre les tympans, une puissance qui ne permet pas de discerner les voix des instruments. Si les fenêtres n'étaient pas ouvertes, le toit se soulèverait.

– TU DEVRAIS PAS PORTER TES LUNETTES POUR CONDUIRE ?

– ÇA, C'EST DE LA MUSIQUE, HEIN ?

Jacob veut articuler sa critique, se ravise ; il voit briller au coin de l'œil de Sam une perle grosse comme la mer, perle qui finit par descendre lentement une joue ronde et tremblante.

– Oui, Sam. Ça éclate un max… Hé ! FEU ROUGE !

L'arrière de la Trans-Am se soulève presque tant l'arrêt est brusque. Jacob s'agrippe à la ceinture, secoué, et sonde à gauche et à droite. Il tend la main et baisse le volume de la musique.

– Merde ! Tu vas nous foutre dans le pétrin, Sam ! (Rire nerveux.) Merde !

Jacob espère que son rire sera contagieux, que leur rire commun écrasera le malaise, et tout ne sera qu'une bonne blague, rien qu'une blague, une autre, au cours d'une sortie entre copains qu'on se remémorera un jour en se tapant sur les cuisses, bière à la main, et on se ferait une bonne bouffe – à quatre si seulement on parvient à se faire chacun une copine, hein, c'est qu'on n'est pas les rois de la drague – bref disons quatre, autour d'un bon souper, peut-être des enfants qui jouent au sous-sol, et les histoires de l'un croisent celles de l'autre, rapiécées de souvenirs, d'images et de sons; tu te rappelles le camp d'été, les tests de grossesse, la GLACIÈRE AMBULANTE, oh oui, et cette cuite, à tes dix-neuf ans, on écoutait les *Cars* et tu as embrassé si fort les freins que j'ai presque vomi sur le siège...

– J'en peux plus, Jake.

Sam a éteint la radio, renvoyant les *Cars* au mutisme, et s'est mis à pleurer ; sa voix n'est plus que fêlure, ses mots, des enfants en chamaille se bousculant à la sortie d'une école.

– Ça pèse lourd. Tellement lourd. Je sais plus si je suis mort de fatigue ou fatigué de mourir, Jake. Je... Bordel, je sais plus trop rien.

Le mirage dans lequel s'était perdu Jacob s'est estompé.

Jamais, pense Jacob, entendant à peine les klaxons des voitures qui contournent la leur, immobile. *Jamais ce futur-là ne sera.*

– Tu crois qu'on peut aspirer à la vraie paix, un jour ? Je veux dire : *avant* de mourir ?

Jacob a froid dans le dos et n'ose pas répondre ; il

sent que Sam joue à la roulette russe avec trois balles au lieu d'une. Un joueur ivre, de surcroît.

– La paix des autres, la paix intérieure. Un équilibre, sans excuse ni concession, tu vois ? C'est ça que je veux. Un monde où ton reflet dans le miroir te fait pas honte, cette maudite honte qui te vire les tripes en ciment !

D'un violent coup de poing, Sam arrache le rétroviseur qui tombe à ses pieds.

Ils sont aux limites de la ville. Dernière intersection. Deux fois déjà, le feu est passé au vert.

– Sam, je pense qu'on devrait rentrer...

– Rentrer ? C'est partir que je veux, Jake ! C'est le *où* qui me reste à trouver. Le *où* et le *comment*. T'as quinze mille dollars à me prêter ?

– Pour le *où* et le *comment,* je dirais : tout droit et pas trop vite. Y'a une voiture de police derrière.

– Ah ouais ?

– On dirait bien.

– M'en fiche. Qu'ils m'attrapent, pour voir.

– Sam ?

Le crissement des pneus et le grondement du moteur deviennent plus assourdissants que ne l'était la musique des Cars.

– Hé! qu'est-ce que tu fous ?

– ...

– Sam !

Le décor de chaque côté se met à défiler de plus en plus vite, étrange manège qui n'en finit plus d'accélérer. Jacob s'agrippe à sa ceinture et hurle :

– Samuel !

– T'en fais pas. Si le Bon Dieu a pas voulu de moi avant aujourd'hui, je vois pas pourquoi Il me réclamerait cette nuit !

– T'es fou, Sam ! Arrête !

À l'intérieur du pare-brise, sur le tableau de bord, des lumières bleues et rouges valsent allègrement au chant de sirènes mécaniques.

– Ce sont réellement les flics, Sam ! Arrête la voiture !

– Non.

La Trans-Am fait une embardée, les roues mordent la poussière du bas-côté. L'aiguille indique presque cent quarante kilomètres heure.

– Sam, je t'en prie, on va se péter la gueule !

– Tu veux tout savoir, Jake ?

Jacob ne le veut pas mais il entend. Le monde défile à Mach 1 et il entend les sanglots de son meilleur ami.

– Le gars au bar ! Celui qui nous a croisés ! Je l'aime, Jake ! Je l'aime à n'en plus dormir, de peur de rêver à lui. De peur que même dans mes rêves, ce soit lui qui me traite de tapette, de pédé, et toutes ces conneries. Et pourtant, je l'aime. Je l'aime, tu comprends ?

Malgré la vitesse du train fou dans lequel il est prisonnier, Jacob sent son esprit plus clair que jamais, les idées limpides comme lorsqu'on parvient à résoudre un problème d'arithmétique particulièrement difficile. Il regarde ses mains : elles vibrent. Comme ses genoux, ses pieds. Tout tremble. La Trans-Am file à cent soixante à l'heure.

– Tu l'aimes ! O.K., tu l'aimes ! T'es homo ? T'es mon ami et t'es homo ! Et moi je me suis rendu compte de rien ! Rien à foutre que tu sois homo, mon vieux ! Ça change rien entre nous, vu ? On est et on restera les meilleurs amis sur terre ! Et j'aimerais qu'on y reste, sur cette terre, tu saisis, Sam ? RALENTIS !

Dans les traits de Samuel Caplan, une guerre. Tristesse. Soulagement. Colère. Regrets.

L'aiguille oscille au-delà des cent quatre-vingts, mais Jacob ne la voit plus. Il est à assembler le puzzle de son amitié avec Sam ; à faire l'addition des mots, gestes et des regards pour aboutir à cette réponse toute simple :

– T'es un gars super, Sam. Mon meilleur pote. Mais ralentis là. Ça suffit.

Sam touche la main que Jake a posée sur son épaule.

– Tu me détestes pas, hein, Jake ?

Le hurlement de la Trans-Am passe rapidement des aigus aux graves. Presque à regret, l'aiguille rebrousse chemin, lentement, vers le zéro tout à gauche. Dans quelques secondes, ils seront sagement rangés sur l'accotement, sains et saufs. Mais pour l'instant, Jacob n'y prête pas attention ; pour l'instant, il n'y a que Sam qui compte.

– Non, je te déteste pas. Jamais. Et tu sais ce que m'a dit Smitrovich un jour ? Que la vie est une guirlande faite d'inattendus. Peut-être qu'il avait raison ?

Jacob tend la main ; Sam l'empoigne.

– Ouais. Merci, vieux.

Bientôt, des cris les somment de sortir de la voiture.

Le reste de la nuit sera long, pense Jacob. *Mais comme la pluie, nulle nuit ne dure toujours.*

Tout à coup, dans l'espace, un point infiniment chaud, infiniment petit.

Une singularité.

À l'œuvre, des forces indicibles ; à l'extérieur du point, à l'intérieur, à travers lui.

Exempt de couleur, il émane de sa parfaite rondeur le blanc des blancs, forme divine que des yeux aveugles ne sauraient tolérer.

Moi, je le vois.

Si c'est ma mort que j'aperçois, je veux *la voir.*

Le trépas n'est-il autre chose qu'un voyage vers cette ultime précision physique, où son, lumière et mouvement perdent leur signification connue, l'esprit libre, enfin libre ?

Périple interminable, l'esprit mu par une émotion unique, primaire – l'espoir *– espoir d'atteindre un jour ce point d'omniscience, espoir que tous les vœux y seront exaucés, quels qu'ils soient, et vous avez cette certitude ardente que oui, vœux, rêves, prières, tout se trouve dans ce point, il ne faut que l'atteindre ; et quand vous y êtes, l'infiniment petit devient immense, devient horizon, votre monde passe au blanc des blancs. Là-bas, le catholique entendrait le chœur des Saints, le musulman, la voix* *d'Allah, le juif celle de Moïse prêchant dans l'Olam Ha-Ba ; et l'athée, lui, l'athée se ficherait de ce qu'il entend, parce que le seul fait d'entendre est un tel soulagement, un tel baume; il est content d'avoir eu tort, que l'Être lui ait pardonné son incrédulité, qu'Il veuille bien l'accueillir dans ce divin blanc appelé paradis.*

Mais je n'y suis pas encore.

Je n'y arrive pas.

Quelque chose garde ce point hors d'atteinte, m'empêche d'y accéder, comme si une multitude de ficelles nouait mes nerfs à une table invisible et froide, faisant de moi un prisonnier du noir et du silence.

Je n'ai que ma mémoire, éparse et infidèle.

Lambeaux de mémoire telle une marée, sans cesse en mouvement.

Anna, mon amour.

Élia, ma rose.

Sam, mon ami.

Maman.

Et Smitrovich...

... Smitrovich qui n'aurait pas assassiné Hitler, même s'il avait pu.

7

– C'est votre mère, Jacob. Votre mère a disparu.

Les brumes stagnantes de son cauchemar le taraudent encore, comme si le Jacob portant le téléphone à son oreille n'était que corps, et que l'esprit, lui, était toujours embourbé dans ce rêve tumultueux.

Dans le rêve, Anna est enceinte, peut-être du deuxième enfant qu'ils ne parviennent pas à avoir dans la réalité, tendre et ronde plénitude; comment feront-ils pour joindre les deux bouts, il l'ignore; Anna devrait être heureuse mais ne l'est pas; elle s'est égarée en pleine nuit dans une forêt tropicale et la lune donne à son visage une pâleur étrange, couleur poudre de craie; Anna marche, seule. Lui, il n'est que spectateur, un de ces fichus rêves qui se déroule comme un film, et c'est un suspense, cette fois, Jacob le sait, un thriller de série B qui ne promet rien de bon aux femmes enceintes traversant la jungle passé minuit; Anna, ou le *personnage* jouant Anna, s'arrête, une terreur panique dans les yeux, yeux qui se mettent à chercher tout autour. Des fougères, que des fougères, des vignes et des arbres. Jacob ressent la peur du personnage, elle le paralyse, il est un spectateur captivé et captif, mais de quoi a-t-elle peur, de quoi a-t-elle peur? La caméra fait un *travelling* vers la droite, dépassant les fougères ; Anna s'est embourbée dans une mare boueuse, et déjà, elle s'y engloutit jusqu'à mi-mollet ; Jacob veut que le film s'arrête, qu'il s'arrête *tout de suite*, avant que le joli bedon ne disparaisse dans la boue, leur joli trésor, leurs deux petits bourgeons – ils auront des jumeaux, il le sait à présent – quelqu'un, faites quelque chose bon sang ! Soudain, dans les yeux d'Anna, Jacob comprend qu'elle a trouvé de l'aide, juste à côté, au bord du marais ; on passe à la caméra deux, caméra BORD DE MARAIS, et Jacob le spectateur voit Jacob le personnage, assis sur un quart de bûche, en discussion fort amusante, dites donc, avec quelqu'un caché par les fougères, riant à pleine gorge tandis qu'Anna se noie, va sombrer dans trente secondes, pas plus. La surface du marais atteint maintenant ses hanches et elle soulève son ventre rond, comme si elle ne voulait pas que la fine couche de peau, séparant leurs bébés de la boue brunâtre, ne soit souillée. Crie, mais crie donc, hurle Jacob le spectateur à l'intention d'Anna; cet idiot ne t'entend pas, cet idiot se *marre*, il montre ses dents à la lune. Imbécile, *ta femme se noie*. Or Anna n'a pas crié, elle ne crie pas non plus quand la boue lèche enfin la peau rose au-dessus du nombril. Crie, je t'en prie, Anna. Le film a trompé le spectateur, on dirait; il ne sait plus que c'est un film. Les deux Jacob ne font plus qu'un. Vas-tu crier, merde ! Jacob se prend les côtes tant il rit. C'est qu'il est drôle, cet inconnu, caché dans les branches. Attends, attends, il connaît une autre bonne histoire. Anna tend les bras vers Jacob, implorante silencieuse, les bras ouverts à se fendre, tirets lugubres sous les rais de lune ; Jacob rit aux larmes ; Anna coule, la boue souillant ses seins ; Jacob hurle : crie donc, pourquoi tu ne cries pas ? Anna pleure, la bouche fermée, comme verrouillée ; l'inconnu en raconte une bien bonne. Jacob s'arrache la gorge ; le film tire à sa fin ; la boue froide peint le menton d'Anna dont les mains toujours ouvertes tendent vers le bord du marais. Jacob n'en peut plus ; c'est trop drôle ; c'est trop triste. Les longs cheveux de sa femme flottent comme des herbes mortes. Elle s'enfonce, l'autre rit, rit. Juste comme elle va sombrer, sa bouche s'ouvre et il en sort un bout de papier. La boue lâche un plop ! anodin et Anna n'est plus là. Le sombre marais n'est troublé que par la brillance d'un petit papier blanc. Le papier se déplie, s'ouvre comme une fleur, une rose, évidemment ; Jacob l'idiot entend le froissement du papier, *maintenant* il entend. Il voit le message ouvert et ne rit plus. Il tend une main vers le marais; c'est un dessin curieux, pense-t-il ; sur la blancheur du papier il y a…

– Monsieur Bespin, vous êtes là ? Votre mère a disparu, monsieur.

– Oui, oui. Ma mère… Je vous entends, madame Baker. J'arrive tout de suite.

La tempête s'est levée de bonne heure, a bafoué

la ville de sa rage blanche et ne montre aucun signe de faiblesse. Le pyjama dissimulé sous sa large parka, pieds nus dans ses bottes, Jacob casse la glace figée sur le pare-brise. Chaque seconde compte, il en est conscient, mais conduire sans chemin voir serait stupide.

Le standardiste du 9-1-1 lui a indiqué que le signalement avait déjà été fait ; il a confirmé avec Jacob la description que madame Baker a faite de sa mère : vieille, en jaquette et en pantoufles, malade – et confirmé l'envoi d'une patrouille dans le secteur précisé. Mais c'était espérer un miracle, par cette neige, vraiment, bonne chance monsieur, bonsoir.

Assis sur le siège gelé de la voiture, Jacob souffle sur la boule engourdie de ses mains et lève les yeux sur la fenêtre du deuxième, par laquelle s'échappe la faible lueur d'une veilleuse.

Temps d'aller chercher ta grand-mère, Élia, songe Jacob.

Prudemment, il sillonne le voisinage de la résidence pour personnes âgées où habite sa mère (et plus d'une dizaine d'autres personnes âgées). La visibilité est réduite par les bourrasques de neige folle qui balaient rues et avenues; les rares voitures qu'il croise roulent si lentement qu'elles semblent poussées par le vent. Sur les trottoirs, dans les entrées, la neige s'accumule en congères, semblables à des voiliers échoués.

Déchaînant son ire blanche, décembre s'impose,

tandis que quelque part, une vieille femme troublée marche dans un but qu'elle est seule à connaître.

Et si elle était morte ?

Jacob chasse tout d'abord cette pensée, puis y revient, disposé. Vu les circonstances, il se doit, à tout le moins, d'admettre cette possibilité. Si elle est morte, combien grandes seront les parts de peine et de soulagement ? Comment réagirait Élia au départ de cette grand-mère qui ne la reconnaît même plus ?

Une silhouette sombre, perdue dans le blizzard tel un bateau sur une mer furieuse, se tient au beau milieu d'une intersection.

Jacob freine par à-coups, puis ouvre la fenêtre par laquelle s'engouffrent des serpentins de neige qui viennent lui mordre le visage.

– Hé ! Vous n'auriez pas vu une vieille dame habillée... (Jacob fait une pause, se mettant à la place de l'autre, avant de poursuivre, honteux) ... enfin, une femme perdue plutôt âgée et portant une jaquette ?

La silhouette l'ignore et se met à marcher lentement vers lui, comme si l'appel avait été emporté par la tempête. Elle s'arrête devant la voiture puis tourne le dos, immobile entre le faisceau des phares dont les rais sont traversés par d'infinis filaments de neige folle.

D'un doigt ganté, Jacob éponge une larme au coin de son œil.

– Excusez-moi, je cherche une personne qui se serait égarée dans ce quartier...

L'inconnu, figé dans l'hiver rugissant telle une sombre balise, demeure coi, le visage caché par la frange d'un large capuchon.

Jacob n'aurait pas pensé cela possible par une telle nuit, mais il se sent tout à coup traversé d'un froid plus coupant, plus vicieux que celui qui sévit à l'extérieur.

Sur le tableau de bord, les lumières faiblissent, comme incertaines, puis s'éteignent au moment même où le moteur s'emballe et s'arrête complètement, abandonnant Jacob aux bruits particuliers d'un hiver déchaîné. Autour, le vacarme du vent, les aigus du métal fouetté par la bise, mais surtout son propre souffle, bruyant, chaudes buées éphémères, et son pouls qui accélère. Et il y a cette silhouette morbide, là dehors, qui bloque sa route, momie noire que même la neige semble vouloir éviter, momie qui semble murmurer avec le vent : c'était un mauvais soir pour sortir, Bespin. Pour ta vieille maman comme pour toi.

Le mauvais soir.

C'est ridicule. Redémarre, recule et laisse cet imbécile se geler le derrière. Ta propre mère court les rues chaussée de pantoufles. Allez Jacob !

Il remonte la fenêtre et, tandis qu'il tourne la clef dans le contact, son cauchemar lui revient en mémoire : ce marais infect, Anna qui s'y enfonce, lui qui rit aux éclats juste à côté, ignorant les plop ! avides de la boue alors qu'Anna coule inexorablement, une main tendue vers la rive; le fugitif souvenir d'un papier qui flotte...

Il a rêvé de mort, d'Anna, d'enfants à naître. Morts. Et voilà cette figure en capuchon, monolithe indifférent au froid et aux tumultes, qui lui barre la route.

Mort.

Je rêve toujours. Il faut *que ce soit un rêve.*

Le moteur refuse de coopérer; Jacob insiste, la clef presque tordue, la mécanique prise de secousses, couinant comme un chien battu. Il insiste parce que le manteau noir de la momie a bougé.

La momie se tourne lentement vers lui, et il ne veut surtout pas voir son visage.

Démarre. Démarre.

Elle se tourne de plus en plus; Jacob voit maintenant l'autre frange du capuchon. D'une seconde à l'autre, il verra; il verra la face de la mort.

Mauvais soir pour sortir, Jake.

Il ferme les yeux.

Une prière :

– Démarre.

Quand un poing s'abat sur la fenêtre tout près, il hurle; de petites mains bleuies, gercées de rides, retombent sur la vitre, tel un oiseau perdu.

Jacob cherchait sa mère.

C'est elle qui l'a trouvé.

* * *

L'éclat morne des néons, allumés par dizaines dans le long couloir, accentue les morsures du gel sur le visage creux de Simone Bespin, dont le regard trahit l'état changeant de son esprit : béat, inoccupé, triste, soulagé.

– Que faisais-tu dehors à cette heure, maman, pour l'amour du ciel ? Et pourquoi tu t'es plantée devant la voiture ?

La question n'en est pas une, pas vraiment ; car Jacob sait que de toute manière, quoi que cette femme réponde, ce ne sera que voile et confusion.

– Je marchais, Roland. Je marchais, c'est tout.

Toujours habillée de la parka de madame Baker, elle lui sourit, l'air presque coquet malgré ses engelures ; l'air qu'elle devait arborer quand elle voulait attirer l'attention d'un homme, jadis.

Jacob soupire, le cœur et l'âme tout aussi lourds l'un que l'autre.

– C'est Jacob, maman. Pas Roland. Jacob.

Simone Bespin semble sincèrement surprise et dévisage l'homme au dos arrondi assis près d'elle. L'espace d'un moment, elle le reconnaît, le reconnaît vraiment, sait qu'il est son fils, se souvient de tout, de sa vie au grand complet, mais ça ne dure qu'un moment. Déjà, elle est repartie dans son enfer à elle, enfer de voiles et confusions.

De deux vifs coups d'œil, elle détaille le couloir.

– Personne ! Donne-moi une cigarette, Roland ! Vite !

– Maman. Tu ne fumes plus.

Simone ronge sa lèvre inférieure, irritée.

– Je le sais ! Je sais *tout* très bien.

– Tu aurais pu mourir, tu sais ? Faut jamais sortir toute seule. Tu comprends ce que je dis, maman ? Ni toute seule ! Ni la nuit ! Ni l'hiver !

– L'hiver...

Jacob repense à la momie. La neige en rafale. Les faisceaux des phares.

La peur.

– Tu ne dois plus sortir de la résidence sans permission, tu comprends ?

Peur ? Non. Terreur, relent de la nuit dernière. Un mauvais rêve.

Une jungle. Anna qui hurlait sans faire de bruit.

Ou était-ce Élia ?

Une rose en papier...

– L'hiver...

Pour secouer la nuit, il secoue la tête.

– Madame Baker était folle d'inquiétude, maman. Moi aussi.

La vieille femme a perdu son air coquet. À présent, c'est elle qui a peur, la peur d'une fillette qu'on a surprise à baigner sa poupée toute neuve dans la cuvette et que l'on doit gronder, même à contrecœur.

Jacob pose une main sur celle, bandée de gaze, de sa mère qui la retire prestement.

– Qui êtes-vous ? Me touchez pas ! (Elle cherche dans les regards des quelques occupants des bancs au mur, ceux-ci suivant la scène avec un intérêt mitigé.) Roland? Roland!

La fatigue pesant sur lui comme un manteau de plomb, Jacob se frotte les yeux, brouillant du même coup les larmes qui s'apprêtent à en jaillir.

– Je suis là, Simone.

Il raffermit le timbre de sa voix du mieux qu'il le peut.

– Roland est là.

– Oh, mon Roland. Mon beau Roland.

Elle se blottit contre lui et en la berçant tendrement, Jacob sent monter en lui l'affection trouble qu'il ressent pour cette femme, amour tricoté de douloureux silences et de complaisance mais amour malgré tout, il n'en doute pas une seconde. Il a la conviction profonde – conclusion à laquelle il a abouti à la fin de l'adolescence – que Simone Bespin n'aurait pas *dû* être mère, ni la sienne ni celle d'un autre; que la maternité n'est pas une aptitude qu'elle ait jamais possédée, ni désiré acquérir. Jacob est arrivé un matin de février, et Simone a dû *faire avec*.

Comme on fait avec un ouragan qui s'abat ou un cancer en pleine expansion.

Jacob fait non de la tête, conscient de l'injustice d'une telle pensée.

La vérité est qu'elle ne s'en est pas si mal tirée, après tout, même lui se doit de l'admettre. Jamais elle n'a levé la main sur l'enfant qu'il a été, il a toujours mangé à sa faim et elle, fumé jusqu'à en jaunir sous les bras. *Schtak.* Elle n'a pas encouragé son amitié avec Samuel, (« Un enfant un peu bizarre, non ? »), ni ne l'a désapprouvée.

Beaucoup plus tard, quand Anna est entrée dans sa vie, Simone Bespin a été une belle-mère aimable et polie, voire gentille, escortant même jusqu'à l'autel Anna, dont les parents étaient restés à Gestamme, au sud de Berlin : devoirs militaires du paternel obligent.

Ce souvenir est sûrement l'un des plus beaux que j'aie de maman, pense Jacob. Sa main gantée de rose croisée sur la dentelle blanche de la robe nuptiale d'Anna, la jupe démodée révélant des genoux fragiles, de pair avec la toque d'hôtesse de l'air qu'elle portait un peu de travers, fidèle à une époque vestimentaire révolue. Lui, tremblant comme une feuille par grands vents, il avait trouvé Anna, sa future femme, divinement belle. Or il avait également aperçu chez sa mère les reflets d'une beauté endormie, peut-être la même que l'homme à qui il devait d'être au monde avait vue, ne fût-ce qu'une seule nuit.

Et il s'était senti heureux et fier, puis tellement nerveux qu'il avait été presque incapable, le moment venu, de passer le jonc au bon doigt.

Alors pourquoi lui en vouloir à ce point, pense-t-il, la frêle charpente de la femme serrée contre lui, tous deux mal assis sur un banc de mur, leur demi-sommeil coupé par des appels intermittents, surgissant du plafond et destinés au docteur X ou Y.

Parce qu'elle oublie, oublie de plus en plus chaque

jour ce que moi je ne peux me rappeler, maugrée Jacob, qui fouille pour la énième aux confins de sa mémoire.

Ce Roland dont elle parle depuis le début de sa maladie, qui est-ce ? Son propre père ? En trente et un ans, jamais elle n'avait prononcé ce nom. Et là, les vicieux soldats de l'Alzheimer, – à qui on n'avait rien demandé – au lieu de tout détruire, ont rebranché un petit fil appelé Roland, un souvenir enfoui comme un trésor ou comme une honte immonde.

Oui, Roland avait peut-être été son père.

Il était peut-être aussi un personnage de téléroman.

Un idéal, un vœu, un rêve. L'amour invisible d'une femme seule.

Jacob la regarde, cette femme dont l'égarement était désormais complet, isolée dans son propre esprit malade. Et si sa mère avait besoin d'un Roland, il lui en procurerait un.

– Je suis là, Simone, répète-t-il tendrement. Roland est là.

Une infirmière approche avec un fauteuil roulant, ses souliers couinant savamment sur le parquet luisant. Dans son visage de jeune beauté point déjà celui qui se cache en dessous, celui que les années façonneront : sévère et apathique.

On dirait que c'est le fauteuil qui la tire, pas elle qui le pousse.

Quand elle s'adresse à Jacob, c'est l'infirmière du futur qui parle.

– On lui a trouvé une chambre. Suivez-moi.

Simone Bespin sourit, ravie que l'on s'occupe d'elle et s'assoit dans le fauteuil.

Las, Jacob suit les couinements avec dépit.

La chambre est occupée par trois autres patients, ce qui en fait plutôt un dortoir, selon Jacob. Ou une sorte d'escale commune pour mourants en devenir, à en juger par les râles espacés de la forme sous les couvertures du lit de gauche. Au fond, derrière un rideau tiré, une ombre d'homme veille sur une ombre de lit.

Malgré l'air aseptisé, des relents écœurants se révèlent peu à peu : plaies de lit, sueur et merde ; mais aussi des odeurs d'attente, de doutes et de solitude.

– C'est pas mon lit.

– Je sais, maman. C'est juste pour ce soir.

– Non, je dis que c'est pas mon lit. Où est madame Baker ?

– S'il te plaît, lève-toi, maman.

– Il faut vous lever, madame. Vous dormez ici cette nuit.

L'infirmière parle lentement et fort, comme si elle vissait les mots dans une tête de bois. Jacob se demande quel âge il aura quand on commencera à lui parler de cette façon.

– Viens, maman, je vais t'aider.

– Je suis pas ta mère, Roland !

– Faut parler moins fort, madame.

Le râleur (ou la râleuse, allez savoir) du lit de

gauche laisse monter une plainte grasse, longue voyelle qui s'extirpe des poumons avec un bruit de succion.

– Vous risquez de réveiller les autres patients.

Et ce sera autant ta faute que la sienne, pense Jacob.

– Simone, viens, je t'en prie, un petit effort.

– Où est madame Baker ? C'est pas ma commode, ça.

Jacob ment ; parfois, le mensonge, comme une piqûre de morphine ou d'héroïne, est tout ce qui vous reste.

– Madame Baker s'en vient. Elle sera là bientôt.

– Oh, fait-elle en se levant.

– Et n'enlevez pas vos pansements ; une infirmière viendra les changer demain matin, dit la jeune infirmière en découpant ses mots avec de très gros ciseaux.

– Rassurez-vous, elle les gardera. J'y veillerai.

L'infirmière braque ses yeux dans ceux de Jacob. Fatigués et vides.

– Vous êtes son fils ?

Non, je suis Roland, va répondre Jacob en levant les mains. *J'ai cessé d'être son fils depuis trois ans.*

En fait, il répond :

– Oui.

– Mon fils ? Jacob est pas là. Jacob est en voyage.

– Je vous laisse rester jusqu'à ce qu'elle s'endorme. Ensuite, revenez demain. Les heures de visites sont entre huit et onze.

– Merci.

L'infirmière sort de la chambre, poussant le fauteuil inutile; bientôt, il ne reste d'elle que le bruit de ses souliers qui mordent la cire, bruit qui s'éloigne, s'éloigne, s'éloigne, et s'éteint.

Jacob revient au chevet de sa mère qui s'est déjà endormie malgré la voix en ciseaux, les couinements, les râles et en dépit des engelures sur ses doigts emmitouflés dans la gaze.

Malgré aussi le fait que cette chambre ne soit pas la sienne et que Jacob soit Roland.

Jacob l'embrasse sur le front et caresse ses cheveux blancs.

Un silence quasi complet, une paix inattendue.

Puis une conversation qui se termine entre les ombres derrière les rideaux tirés, au fond de la chambre :

– Ce sont les faits, monsieur. Je suis désolé.

Une toux, courte et pointue.

– Je... kff-kff... comprends.

Voix familière. Lointaine.

Les rideaux bougent sous l'effet d'un mouvement de l'ombre; émerge finalement un médecin portant son sarrau comme une aube et son stéthoscope comme une étole. Il passe devant Jacob, regarde la patiente nouvellement admise, semble se dire que les nuits sont longues, bien trop longues, et s'en va rejoindre un autre patient, un café froid ou, qui sait, la jeune infirmière.

Derrière les rideaux, la toux a repris, discrète mais montant de loin; une toux de l'âme; Jacob s'approche car il en a reconnu le timbre, ou plutôt l'accent, empreinte transparente malgré la maladie, malgré l'âge et le temps qui s'est écoulé. Sans bruit, il contourne le rideau.

On n'échappe pas à son passé, pense Jacob en regardant le vieillard dans le lit numéro quatre. Les joues se sont affaissées, le front s'est parsemé de taches brunâtres, et les paupières, mates et lourdes d'années, se soulèvent péniblement lorsque Jacob dit :

– Monsieur Smitrovich.

* * *

Les premiers souvenirs qui lui reviennent n'étant pas les meilleurs, Jacob les refoule dans un oubli souple et pondéré. Le passé a beau vous rattraper, on ne peut rien y changer. Il s'attarde alors à la seconde vague d'images qui afflue : images du meilleur été de son enfance, au cours duquel il travailla à la GLACIÈRE AMBULANTE, les contenants colorés, les visages d'enfants et d'adultes, accoudés au comptoir du camion blanc, leurs yeux qui lisent chacune des saveurs soigneusement écrites et réécrites à la main sur l'affiche. Souvenirs de Sam et lui repeignant l'image du clown et le lettrage défraîchi; images violentes des pétards, du rire des connards qui les avaient lancés, de sa honte à lui, mais surtout de la honte de cet homme quand.

– Stop.

Revenir ici et maintenant.

– C'est Jacob, monsieur Smitrovich. Jacob Bespin.

– Jacob... Jacob...

La répétition s'embourbe dans une succession de kff-kff – des cailloux qui frappent le fond d'un puits desséché. Leurs mains se crispent, l'un de souffrance, l'autre d'inquiétude, puis les secousses s'espacent et s'arrêtent.

– Vous voulez de l'eau ?

– V... v... vodka, dit l'homme, un fragile sourire sur les lèvres.

– Faudra voir. La réserve de l'hôpital doit être épuisée. Le médecin m'a l'air d'en avoir plus besoin que vous.

Les sourcils de Leander Smitrovich se lèvent comme pour dire : tant pis.

– L... longtemps...

– Oui. Ça fait très longtemps.

– Qu'est-ce... que... ici...

– Ma mère est votre voisine de chambre.

– Mère... malade ?

Jacob ne peut détacher les yeux des lèvres minces par lesquelles s'échappent ces mots ; elles ont la couleur d'un ciel couvert. La couleur et le froid, peut-être.

– Alzheimer, souffle Jacob, qui réalise à quel point il déteste ce mot et tout ce qui vient avec.

Il se lève et regarde vers le lit numéro un : Simone Bespin y repose, apparemment immobile, ses mains blanches de gaze émergeant des draps comme des périscopes. Une momie.

Stop. Ici et maintenant.

– Mais vous..., commence-t-il sans trop savoir comment poursuivre.

Vous quoi ? Vous vous mourez ?

– Kff-kff, répond Leander Smitrovich pendant vingt secondes. Pénibles secondes.

Il a les yeux fermés, comme endormi. Une longue inspiration puis :

– *Chore Kurwa*... Poumons foutus...

Il n'y a pas qu'au passé qu'on ne peut échapper. Il y a la mort aussi.

Jacob sent sa gorge s'obstruer d'un nœud délicat.

Il pense à Élia, à sa chambre du deuxième, dans sa forêt de peluches.

Il pense à Élia et aux maladies qui la guettent, elle.

Qui les guettent tous.

Dans son lit, le marchand de la GLACIÈRE AMBULANTE, vieux comme la vie lui a permis, pleure doucement, à l'insu du reste du monde. Il souffle :

– ... guirlande.

Jacob sourit et soupire.

– « La vie est une guirlande faite d'inattendus. » Je me souviens, Leander. Je suis désolé. Je sais pas quoi dire d'autre. Vraiment. Désolé.

L'homme lève un doigt, oh, de quelques centimètres, pas plus, ce serait trop dur, et en fait osciller le bout de gauche à droite. *Non,* fait ce doigt. Avec efforts, l'homme parvient à grimper sa main jusqu'à son sternum, sur lequel le courageux index tape faiblement. *Moi*, fait l'index. *Moi, je suis désolé*.

Jacob glisse sa main dans celle de Smitrovich et l'empoigne fermement, trop peut-être, pour le chétif vieillard, mais il en a besoin, tant besoin, de ce contact, de cet adieu au premier être qui l'ait appelé *monsieur*. Qui l'ait regardé comme un homme.

– Ne le soyez pas, fait Jacob. C'est la vie. La vie, c'est tout ça. Dormez.

Et il s'endormira, après un chapelet de sanglots infimes en bruit, mais grands en soulagement, du moins Jacob l'espère-t-il, autant pour l'homme que pour lui.

* * *

Jacob est assis dans le vestibule, hypnotisé par ses chaussures noires. Dans sa main des pages attendent. Anna, elle aussi vêtue de noir, prend les feuilles et les plie, puis vient appuyer son front contre celui de Jacob. Elle a peu pleuré, moins que lui. Elle est forte et Jacob suppose qu'il l'aime pour ça aussi.

– J'arrive pas à croire qu'il ait écrit cette lettre. Qu'elle me parvienne aujourd'hui. Et le temps qu'il a dû y mettre...

Anna se tait; parfois c'est ce qu'il faut faire.

– C'était un bon monsieur, Anna. Il avait un rire inoubliable. Comme des coups de tuba. J'ai été dur avec lui, un jour, mais c'était quelqu'un de bien.

Anna sourit ; d'autres fois, c'est ce qu'il faut faire.

– Et tu as pu le visiter quelques semaines de plus. Prends-le comme un cadeau.

Un cadeau.

– Élia attend dans la voiture, Jacob. Tu es prêt ? Tu viens ?

Silence.

– Tu y crois, toi ? Au destin, je veux dire...

– Nous nous sommes rencontrés. Ça me suffit.

Il fait oui de la tête.

– Je crois que Smitrovich aurait apprécié l'inattendu dans cette journée.

Anna cherche son regard.

– Et ça te met en colère ?

– Non. Non, il me manque, c'est tout. On y va ?

L'inattendu : les funérailles de Simone Bespin, célébrées dans une petite église de quartier, sont prévues pour quatorze heures ; celle de Leander Smitrovich, immigré Polonais, à seize heures trente.

Au même endroit.

Ils seront peu nombreux à la première, encore moins à la deuxième.

Jacob se dira plus tard qu'une demi-journée sur un banc d'église, c'est beaucoup trop. Quelle qu'en soit l'occasion. Il se souviendra que sa mère avait fumé pendant toute la partie lucide de sa vie, avant de succomber à l'Alzheimer ; Leander, jamais il ne l'avait vu avec une cigarette au bec. Puis il se demandera si Leander avait été fumeur, serait-il quand même mort d'un cancer, ou bien se serait-il perdu dans la neige un soir de tempête, vêtu d'un pyjama et d'une parka ?

Finalement, Jacob se dira qu'il vaut mieux laisser le passé là où il est.

Quelque part en mémoire.

* * *

À monsieur Jacob Bespin, petit bonhomme aux grands yeux verts.

Par où je commence ? La fin est si proche... Par ce qui compte, je suppose.

Les gens que j'ai fréquentés ces derniers mois (qui portent tous des blouses blanches ou bleues) te diraient que ce qui compte, justement, c'est cette liste de pilules à avaler, de tests à subir, surtout du moral qu'il faut garder.

Garder pour qui, hein ? que je leur demande.

Je suis d'ailleurs persuadé qu'on ne fait pas mention, dans les livres de médecine, de « moral ».

Bon soyons juste : Édith est extraordinaire (Dziękuję Edyta !). C'est une bénévole de descendance polonaise ; c'est elle qui traduit et écrit pour moi. Quelle chance, non ? D'une patience inouïe, parce que je ne parle pas vite... Précieuse enfant. Tu la rencontreras un jour ; elle te remettra cette lettre. Redis-lui merci pour moi et embrasse-la sur les deux joues.

(Leander exige que j'écrive que je rougis. Alors : je

rougis! – Édith)

Comment va ta mère? L'Alzheimer est une peste, tu en sais quelque chose. J'ai connu un brave type qui passait des heures à parler – de franches conversations! – à son miroir. Pourtant, ce vieux Voltok m'apparaissait comme la personne la plus heureuse et insouciante du monde. Ce qui était peut-être le cas, allez savoir.

C'est un peu bête de te parler de Voltok. Je veux simplement que tu saches que ta mère, aussi enfouie dans sa maladie qu'elle peut l'être, n'est pas nécessairement triste. Et n'en aie pas pitié; aime-la, c'est tout.

La manière dont tu m'as parlé de ta femme et de ta fille, lors d'une de tes visites, m'a fait chaud au cœur. Tu as l'air vraiment heureux. Elles ont ce pouvoir, les femmes, n'est-ce pas? Nous rendre heureux.

Cinq ans après tu sais quoi, j'ai rencontré une femme, Jacob, une femme d'ici qui se passionnait pour l'Europe sans jamais y être allée. Eh bien, j'ai vendu mon camion (je sais que la GLACIÈRE AMBULANTE *a servi plus tard à une compagnie de transport; j'imagine que depuis elle est au cimetière des bagnoles) et nous y sommes allés ensemble, une sorte de lune de miel à thème de tendresse. Ce fut un voyage fantastique et un bouleversement de revoir la Pologne. Je soupçonne qu'elle a préféré l'Italie, mais elle n'en a jamais rien dit.*

J'ai vécu avec elle (chez elle serait plus exact) à ce qui me semble aujourd'hui une époque très lointaine. Son mari ne l'avait pas laissée avec des miettes au compte de banque, et nous sommes repartis outremer l'année suivante. Là-bas, blâme le vin ou le soleil du Midi, elle a fait un ACV qui l'a tuée net. Elle repose aujourd'hui à moins de trente centimètres de son défunt mari, et moi j'ai continué à vivre sur ses miettes, si on peut dire.

Tout ça a probablement peu d'importance pour toi ; ce que j'ai fait, ce que je suis devenu après le malheureux épisode qui refit de nous des étrangers. J'ai maintes fois ragé en y repensant. J'ai perdu un ami, ce jour-là, et je n'ai jamais entretenu un véritable espoir que tu me pardonnes. Quand il sera un homme, peut-être, me mentais-je ; mais ça ne faisait qu'enrober ma honte d'un voile bien mince.

Ces choses-là, on ne les pardonne pas. Fort à parier qu'on ne les oublie pas non plus.

Je n'ai pu faire ni l'un ni l'autre moi-même de toute façon.

Que serais-je devenu si tu n'avais pas été témoin de tout ça ?

Aurais-je fini ma vie autrement ?

Aurais-je rencontré cette femme merveilleuse, vendu le camion et revu la Pologne ?

Quel aurait été mon destin ?

C'est le deuxième jour de rédaction. Cette bonne Édith m'a apporté une boîte de chocolats. Il y en a à la mangue. Étrange, non ? Tu te rappelles le cornet à la mangue ? Ah ! Jacob ! Même en ton absence, c'est agréable de te parler.

Hier, j'avais arrêté en te parlant du destin.

Donc, le destin. Je t'expose ma petite théorie : que

serait-il advenu de l'humanité si un brave Polonais avait eu la chance d'égorger ce con d'Adolf tandis qu'il ronflait? (Relent de fierté patriotique ici! – É.) Est-ce que le monde aurait été différent? Mieux? Pire? Imagine un peu le scénario : Hitler est mort, des millions de gens vivent, dans la misère ou pas; l'industrie de guerre ne devient pas ce qu'elle est aujourd'hui, la recherche stagne : la technologie, la médecine, la conquête de l'espace; où en serions-nous?

Tu me suis? Maintenant ça :

Un beau matin, une fillette hésite entre une paire de souliers rouges et des espadrilles aux motifs fleuris. Elle doit faire vite; on l'attend, c'est la dernière semaine avant le début des classes, l'été s'achève. Elle arrête son choix sur les espadrilles, qu'elle enfile en vitesse et sort. Elle court en direction du parc quand elle remarque que l'un de ses lacets s'est défait. La fillette pose un genou par terre et ses petits doigts se mettent au travail, puis elle traverse.

Sur la même rue, une auto roule vite, bien trop vite – un rendez-vous, une urgence, une bêtise, qui sait – et fauche la fillette. Ses parents sont inconsolables, et n'auront plus jamais d'enfant; la conductrice, elle, fera huit ans de prison et trois tentatives de suicide.

Je te parle du destin, Jacob : que serait-il advenu de tous ces gens si la fillette avait choisi les souliers rouges au lieu des espadrilles aux motifs fleuris? Pas de lacets, pas d'accident, pas de deuil, pas de prison?

Pas nécessairement.

Supposons que ce soit le cas. Cette fois, elle choisit les souliers rouges. Elle ne s'arrêtera donc pas.

La femme qui conduisait l'auto, elle, n'avait ni rendez-vous, ni urgence et n'était pas bête. Elle ne faisait que fuir son mari après une autre de ses crises de rage. Elle avait osé, ce matin-là, subtiliser les clefs de la voiture tandis que son mari était sorti, et foutre le camp pour de bon. À bout de nerfs, elle roulait vite, trop vite quand elle a croisé une fillette aux souliers rouges, marchant sur le trottoir, le nez en l'air. Celle-ci regarde avant de traverser, laisse passer la voiture folle, puis traverse.

La femme l'ignore, mais parce que la fillette a choisi les souliers, elle-même vient de frôler les barreaux d'une cellule de prison.

Une prison où elle aurait été sauve.

Parce que, vois-tu, son mari la retrouve le lendemain dans un hôtel minable et lui donne une raclée si violente qu'elle meurt sur la céramique d'une salle de bain crasseuse.

Les souliers rouges ou les espadrilles ? Quelle ligne de temps est la meilleure ?

L'enfer est pavé de bonnes intentions, Jacob.

Que serait-il advenu de moi, de nous, si tu n'avais pas ouvert la porte de la GLACIÈRE AMBULANTE *à cet instant précis, il y a presque vingt ans ?*

Ça aurait certainement pu être mieux, mais le contraire est tout aussi plausible.

J'ai changé, ce jour-là, Jacob. À tout le moins, un changement s'est amorcé. Et peut-être que ton départ y est pour plus que je croyais. J'ai laissé le passé tel qu'il était; j'ose croire que tu en as fait autant. Tout comme le monde a dû composer avec l'Holocauste. J'y ai perdu proches et amis. Et je prie chaque jour pour ceux qui y en furent victimes. Mais, quitte à faire preuve d'un égoïsme démesuré, macabre oui, il est probable que si Hitler avait été égorgé par un brave Polonais, j'aurais passé toute ma vie en Pologne.

Et nous ne nous serions jamais rencontrés, toi et moi.

Tu étais un bon garçon, et ce fut un vrai bonheur de t'avoir eu comme ami et employé – toi et Samuel, les seuls que j'ai jamais engagés! – et je pense que tu as été heureux aussi, ces étés-là, même si ton regard s'assombrissait parfois quand tu devais retourner à la maison. Je m'en souviens, tu sais.

Voilà. Je me relirai demain puis remettrai l'enveloppe à Édith. Elle a ses instructions.

J'ai aimé le garçon que tu as été, Jacob. Je suis persuadé que l'homme que tu es devenu, je l'aurais aimé aussi. T'ai-je déjà dit que si j'avais eu un fils, il aurait porté ton prénom?

Adieu,

L.S.

J'ai peur. J'éprouve. Je refuse. Je nie. Je veux.

Est-ce ainsi que chaque homme meurt, à se souvenir, peu à peu, de ce qu'il a été ? De parvenir encore, en ces ultimes instants, à s'émouvoir ?

Chasser toute pensée.

Revenir au point de départ.

Être.

Respirer.

Premier acte de ma vie, avant le cri ; première réelle douleur, membranes des poumons séparées par l'air qui s'infiltre. Notion de souffrance qui s'inscrit dans les neurones, par la suite accessible, sollicitée même, sur le chemin des jours.

Revivre cet évènement : la montée, l'amplitude, l'effort de l'inspiration originelle, puis le réflexe essentiel, qui met à l'œuvre les pistons du plus beau et fragile moteur de la création.

J'oublie le néant qui m'enveloppe, le point blanc – si point blanc il y a eu.

Respirer.

Montée ; descente.

Accueillir ; rejeter.

Prendre ; donner.
Respirer.
Vivre.

Au tout début, rien.
La complète absence de mouvement, et le désarroi qui s'ensuit.

Puis je perçois une première vague, qui fait gonfler ma poitrine, qui manque de faire chavirer l'esprit qu'on pensait éteint.

J'ai peur. J'éprouve. Je refuse. Et je respire.

Je vis.
Mes amours, mes amis, je vis !
Oh ! franches bouffées de cet air bienvenu !

Je vis !
Et ce silence qui, enfin, ne m'effraie plus !

... sauf pour une voix qui dit :

« Il faut aviser la famille. »

6

Les ampoules aux murs ressemblent aux lumières d'un village côtier, vues de la mer une fois la nuit tombée, et éclairent de façon étrange les indéchiffrables vitraux peints aux fenêtres. D'invisibles haut-parleurs jouent un air connu que Jacob ne parvient pas à identifier ; le morceau est interprété sauvagement, comme si l'organiste avait un fusil pointé sur la tempe. La musique semble sourdre de tous les côtés (une église en son ambiophonique, pense Jacob), et si le prêtre devait apparaître sur un écran géant, au-dessus de l'autel, et la cérémonie se dérouler en 3-D, Jacob ne serait aucunement surpris. Pas plus que de voir des bedeaux vendant du *pop-corn* à la cantine, des Vierges Maries de seize ans, à l'accueil, aux sourires barbouillés de rouge à lèvres et déchirant les billets d'admission, ou des anges barbus et musclés, faisant des rondes dans les rangées avec leur lampe de poche à faisceau béni afin de s'assurer que vous ne posez pas vos bottes sur les agenouilloirs...

– Jacob !

Il sursaute, momentanément perdu – où suis-je, qui suis-je et pourquoi – jusqu'à ce qu'une main se glisse dans la sienne, les dix doigts dans une emprise parfaite. C'est une étreinte qu'il reconnaît, qui l'apaise.

Anna.

Il est dans une église avec Anna ; il y a des statues, de l'orgue, de beaux habits.

Le célébrant avance d'un pas et active le microphone accroché à sa chemise rose d'un revers du pouce ; sa voix détrône l'élan de l'organiste et emplit l'église, comme suintant des murs. L'anglais dans lequel il s'exprime est lent et clair, quasi robotique.

– Si nous sommes ici rassemblés, en ce jour heureux, c'est pour unir ces deux personnes dans les liens sacrés du mariage.

Jacob suppose qu'il a été avisé au préalable que les mariés, ainsi que leurs deux invités, formaient ironiquement une brochette toute non anglophone : une allemande, un autrichien et deux francophones et qu'il fallait leur parler comme une enseignante de cours initiaux en langue étrangère.

Jacob espère que le prêtre – était-ce un prêtre ? – n'entendra pas :

– C'est bête. Je suis mort de trouille.

Anna se contente d'élargir son sourire, la tête bien droite.

– Tu trouves pas que c'est bête ? Pas de quoi être nerveux, pourtant.

La litanie est interrompue ; le prêtre plante son regard – lignes de crayon noir et mascara – dans celui de Jacob.

– Tu vas te taire, Jacob Bespin ? souffle Anna entre ses dents, ses doigts se refermant tel un étau sur ceux de Jacob qui ne renvoie au simili-prêtre qu'un rictus atrophié.

– Pas de quoi être nerveux, répète-t-il pour lui-même.

Pourtant il l'est, comme ils l'étaient tous la veille : le retard du vol les emmenant de New York à Chicago ; le personnel de l'aéroport JFK qui s'intéresse sans raison apparente au contenu de la valise de Sam et Bernhard ; le chauffeur de taxi qui les conduit tout d'abord au mauvais hôtel avant d'empocher le plein tarif de sa course (sans quoi, Bernhard en était persuadé, il refuserait d'ouvrir le coffre de la voiture et repartirait en emportant toutes leurs affaires). À destination, au Reno Hotel Resort, leur réservation se révèle inexistante, malgré des numéros de confirmation imprimés noir sur blanc, désolée, dit la préposée dans son uniforme mauve, les lettres RHR cousues sous son nom. Rosie, bien qu'elle fut noire comme au Congo, offre deux autres chambres, mais au prix régulier, prix qui dépasse celui du billet d'avion.

Point culminant de cette journée : une visite éclair à la chapelle, la Reno Wild Wedding Chapel, qui avait rappelé à Jacob le cabanon derrière l'école primaire que lui et Sam avaient fréquentée, avec le trottoir barbouillé, le grillage devant la porte, et les fenêtres par lesquelles on ne pouvait rien voir (ces fenêtres avaient-elles *vraiment* la forme d'un pénis et d'une paire de couilles renversée ? Jacob espérait que non.)

L'aventure qui durait depuis trente-six heures était d'un rocambolesque exquis; tous les quatre se fendraient la rate à se la raconter dans le futur.

Mais pas maintenant. À cet instant, Jacob sent ses nerfs entrer en ébullition.

Un mariage aux États-Unis célébré par un pasteur ayant un fort penchant pour le maquillage et les chemises de soie à froufrou, lesquelles pourraient rendre dingue n'importe quel hétérosexuel, pense Jacob. *Qu'on me laisse être nerveux. Merci.*

Quand Sam, de qui émanent de véritables rais de bonheur, pose la main sur celle de Bernhard, tous deux en *tuxedos* bleu marine, et que le prêtre – ou le pasteur, peu importe désormais à Jacob – ajoute sa propre main tremblante d'émotion à la leur, énonce les droits et devoirs des époux. Anna murmure :

– Ils sont beaux nos tourtereaux, hein?

Jacob sent son cœur qui double la cadence.

– Tu me promets une chose, Anna?

Il embrasse l'un de ses doux poignets avant de poursuivre :

– Si un jour on se marie, on ne fera pas ça ici, d'accord?

Clin d'œil.

– Marché conclu.

La cérémonie se termine lorsque la musique reprend, toujours cet organiste possédé qui déferle sur son instrument, l'air que Jacob reconnaît enfin : l'œuvre de Webber, *Le Fantôme de l'Opéra.*

Certains papiers sont signés, une somme non négligeable payée, quelques photos prises, et c'est tout.

Le meilleur ami de Jacob Bespin a uni sa vie à celle de son amant.

Vive les mariés.

* * *

Dans un chic restaurant du sud de Reno, Nevada, U.S.A. : une conversation.

– Et où fêterez-vous les noces ?

– Nous allons en Autriche à la fin octobre. Quinze jours de ski, de musées, de champagne et autres extravagances.

– Tu as toujours de la famille là-bas, Bernhard ?

– Des amis, surtout. Ma mère vit en Belgique.

– J'y pense ! Pourquoi ne pas venir à Mönchdorf avec nous, Jake ? Anna adorerait les pentes autrichiennes !

– Tu sais, Sam, moi et le ski...

– Anna, je me trompe ou t'aimes skier ?

– J'adore ! Et je connais très bien l'Autriche, tu sais...

– C'est pas ça, Sam, je *sais* ce qu'aime Anna ou non !

– Alors ? Bernhard, si tu m'aidais un peu !

– Mes amis seraient heureux de nous recevoir. Tous.

– C'est gentil, vraiment, tous les deux, mais...

– Anna, qu'est-ce qu'il a, ce pathétique salaud ? Tu

m'aimes plus, dis donc, Jake ?

– Arrête, Sam ! C'est juste que nous avons des... projets. Voilà.

– Pas vrai ! Vous allez vous marier ? Ils vont se marier, Bernhard !

– Nous allons nous marier, Jacob ?

– Quoi ? Oh là ! Pas si vite ! Sam, tu lui donnes des idées, vieux ! Et après cette demi-heure à la Reno Wild Wedding Chapel – vous froissez pas – mais je crois que ma perception du mariage a été changée à jamais. Il me donnait une drôle d'impression, ce bonhomme qui présidait la cérémonie.

– Ah parce que tu crois que c'était un homme ?

– Tu déconnes ?

– Moi j'aime bien cette idée de mariage...

– Anna, chérie... tu sais bien de quoi je parle.

– J'y réfléchis...

– Vous nous faites poireauter, là ! C'est quoi ces projets ?

– *Bist du in guter Hoffnung?*

– *Wir üben uns dazu.*

– Hé ! C'est quoi ce charabia ? T'entends ça, Jake ? Les Allemands débarquent ! C'est le quatrième Reich !

– Et j'y comprends toujours rien. Pas faute d'avoir essayé. De toute façon, c'est ce qu'on mérite, mon cher Sam. Pour s'être amourachés de deux Européens !

– *Baby*. Un bébé, Samuel. Elle dit qu'ils y travaillent.

– Sans blague ! Nous allons être oncles ? C'est

fantastique !

(Applaudissements.)

– Merci, et ce le sera sans doute. Bref si tout va pour le mieux, en octobre, Anna ne sera ni en mesure de voyager, ni de faire du ski.

– Désolé, Sam.

– Désolé ? C'est le plus beau cadeau de mariage que vous pouviez nous faire, tous les deux ! Vraiment !

– *Du sprichst perfekt Deutsch !*

– T'as l'air bien, Sam. Je suis heureux pour Bernhard et toi. Je sais pas trop quoi te dire de plus.

– Rien à dire, mon ami. T'es ici, avec moi, au beau milieu du désert, dans ce resto six étoiles, au plus beau jour de ma vie, et ça me suffit.

– Hé ! Tu ne nous avais rien dit, Samuel ! Tu étais au courant, Jacob ? Bernhard et Sam vont s'ouvrir un Bed & Breakfast aussitôt rentrés au pays !

– Un B & B et un bébé ! Ça mérite du champagne ! Deux bouteilles ! Garçon !

– Tu devrais essayer en anglais.

– T'as raison. *Waiter ! Cham-pain ! Cham-pain !*

– Pourquoi pas en allemand ? *Champagner !*

Dans un chic restaurant du sud Reno, Nevada, U.S.A. : des rires.

* * *

La vue, par l'immense fenêtre qui sépare l'air conditionné de leur chambre et celui, sablonneux, de Reno, évoque un saut en parachute interrompu. L'œil saisit d'un coup le centre-ville, linéaire et rougeoyant, et la banlieue, édredon noir sur le désert endormi. On discerne, si on s'y attarde, un col montagneux sur lequel meurent les lumières des hôtels et des casinos ; ces montagnes – banales, selon les standards locaux – veillent en sages sur la ville, ses jeux, ses drames, son effervescence.

Peut-être veillent-elles aussi sur le couple d'amoureux qui s'embrase, feu sacré de l'amour, leurs paumes humides pressées contre la fenêtre, comme s'ils saluaient la ville à leurs pieds. Le projet d'une douche, d'un verre de vin rouge et d'un film à la télé de l'hôtel n'avait pas tenu longtemps; renversé par le besoin d'expression d'un amour passablement enivré.

L'acte des Actes, à soixante mètres au-dessus de millions d'Américains.

C'est donc avec un malin plaisir que Jacob Bespin se remémore cette nuit-là quand, trente-neuf semaines plus tard, Anna enveloppe dans une chaude couverture et berce tendrement une enfant qu'ils ont appelée Élia.

Il faut aviser la famille.

Est-ce la voix de Bernhard?
Bernhard? Où est Sam? Où sont Anna et Élia?

Je ne t'entends plus! Parlez!
Sortez-moi de ce néant, que je bouge, que je crie!
Mon corps inerte, mes yeux aveugles, ma voix éteinte, je n'en peux plus!
Ramenez-moi!
Remettez-moi au monde!

J'ai mon mot à dire, vous ne croyez pas? Bernhard! J'ai seulement besoin que l'on me sorte de cette torpeur. Piquez-moi, électrocutez-moi, frappez-moi!
Je veux juste vivre!
Je veux vous revoir!
Et je veux que l'on m'explique où je suis et ce que je fais ici, qu'on me dise où exactement se trouve ici*!*

« Qui devrions-nous contacter, selon vous? »

Personne! Ne contactez personne car je suis vivant! Enlevez ces sangles invisibles qui me paralysent et je vous montrerai!

Confondez-vous le vivant du mort?

Prêtez l'oreille.

N'entendez-vous pas le flot de l'air qui entre en moi et en ressort?

Ne percevez-vous pas les ongles de mon esprit qui grattent dans votre dos?

Ne sentez-vous pas l'odeur métallique de...

(morgue)

Non.

(MORGUE)

Oui.

Ces abjects relents de propreté javellisée, de cuivre humide, exhalaisons de silence et d'inertie, la puanteur des ténèbres, je les sens.

Ou est-ce mon âme qui les ressent?

Âme accrochée tel un drapeau flottant au-dessus de ma carcasse, refusant obstinément de lâcher prise?

Est-elle tout ce qui reste de ce que j'ai été?

Est-ce elle qui perçoit ta voix, Bernhard, par-delà l'ultime frontière?

Si je suis bel et bien mort, qu'on me dise comment.

Si je suis bel et bien mort, qu'on me dise pourquoi.

... oh, et qu'on me rappelle aussi le nom de cet ange.

5

Il tient sur ses genoux la boîte à lunch aux couleurs de son équipe de baseball préférée – à l'intérieur, sandwich au Bologne et moutarde, biscuit à thé et jus de pomme. Il porte les souliers de course qu'une voisine, généreuse ou prise de pitié, a apportés chez lui dans un coffre de bois, parmi d'autres vêtements et jouets que son fils n'utilisait plus, ou trouvait passés de mode.

Il regarde ces souliers déjà usés balancer et rebondir, en parfait synchronisme avec les hoquets brusques de l'autobus ; ils font des cercles, se cognent, se croisent, c'est presque une danse, et, tout à coup, le garçon sent monter une vague du creux de son ventre jusqu'à ses yeux verts. Une vague de larmes qu'il craint ne pouvoir contenir s'il ne ferme pas les yeux de toutes ses forces, fermés à s'en plisser le front, à en grimacer comme un monstre.

D'où vient cette tristesse ? se demande-t-il en serrant la boîte à lunch contre lui, ses petits bras tout tremblants. Maman. Maman est seule à la maison. Voilà ce qui le chagrine. Ce n'est pas l'effroi de faire son entrée à la maternelle, ni celui de faire le piquet avec d'autres enfants qu'il ne connaît pas, à attendre l'arrivée de cet autobus jaune dont l'intérieur lui rappelle un tunnel. Ce n'est pas non plus la terreur qu'il ressent à l'idée de rencontrer son institutrice; sera-t-elle douce, criarde, vieille, méchante, jolie? Sait-elle comment s'y prendre avec les enfants? Dort-elle à l'école, dans un placard où tous les professeurs sont remisés pendant la nuit? Et si elle était un *il*, un homme? C'est une possibilité, oh oui, à la télé, il a déjà vu ça, des messieurs professeurs, avec une grosse moustache, si grosse qu'on dirait qu'ils n'ont pas de lèvres, que leurs dents sont comme des prisonnières sales et affamées et, quand ils parlent, tous les enfants se taisent de peur d'être déchiquetés et avalés.

Il n'a pas peur, dirait-il d'emblée, si la question lui était posée.

Peut-être un peu, penserait-il ensuite.

Non. S'il retient ses larmes, c'est surtout parce qu'il est triste que maman soit seule à la maison.

Qui lui servira son café dans la tasse Père Noël?

Qui approchera le cendrier avant que la cendre ne tombe?

Qui lui enlèvera ses pantoufles pendant sa sieste de l'après-midi?

L'arrière de l'autobus bondit; on dirait qu'il roule dans un champ de pierres.

Occupé à regarder la danse de ses souliers, Jacob fait d'énormes efforts pour ignorer le vacarme des autres enfants qui jacassent, hurlent, chantent, rient, se tiraillent. Il les observe, certains à l'âge des jeux de mains, d'autres à l'âge des secrets, et chez les plus vieux, celui des menaces. *Comment se fait-il*, pense Jacob, *qu'il soit celui qui reste seul, comme un manteau oublié sur un banc ?* Ce rôle-là, il ne l'a pas choisi et n'en veut pas.

Et puis il peut aussi bien que n'importe qui jouer à l'amitié.

Ce n'est pas si difficile de rire, non ?

Sauf qu'à rire tout seul, on a l'air un peu fou.

Je voudrais qu'au terminus tout le monde descende et que moi je continue, rêvasse-t-il en regardant dehors. *Faire des kilomètres dans ce tunnel sans jamais avancer.*

Une bousculade éclate, à quelques sièges vers l'avant. Des garçons plus âgés, des ogres, quoi, s'en prennent à un écolier à lunettes, unique occupant de son banc lui aussi. Un grand lui vole sa casquette, lui en assène un coup avant de la poser sur sa propre tête. La casquette, bien trop petite, penche bêtement sur la gauche, une île dans la tignasse frisée du garnement, qui se fourre le pouce dans la bouche, ce qui fait se marrer toute la section.

Le chauffeur lance un avertissement, réajuste son rétroviseur, mais les voyous sont aguerris ; ils sont déjà docilement revenus à leur place, corps bien droits : certains sifflent, d'autres feuillètent des livres invisibles.

Le chauffeur sourcille, grogne et oublie.

L'écolier à lunettes ne reverra pas sa casquette.

Témoin muet, Jacob est bien obligé de se raviser : il n'est pas le seul naufragé dans cet autobus et au moins, lui, on le laisse tranquille. Reportant son regard sur ses souliers, il resserre l'emprise sur sa boîte à lunch.

Dès qu'il pénètre dans ce qui sera sa classe, après une visite sommaire du gymnase, des toilettes, des bureaux du directeur et de la secrétaire ainsi que de celui de l'infirmière, Jacob ressent un soulagement intense, comme un assoiffé qu'on abreuve. La classe est belle et claire, murée d'un côté par de grandes vitres décorées de bannières en forme de locomotives, d'animaux du zoo et de chars de cirque. Des casiers à peine plus hauts que lui longent un autre mur, et il remarque que sur chacun d'eux est collé un carton coloré avec un prénom. Il cherche le sien, mais son regard est tout de suite attiré vers le large tableau vert sur lequel on a écrit un mot unique, long de neuf lettres.

– Bien-ve-nue, murmure une fillette à sa copine en montrant le mot du doigt.

Jacob ne sait pas lire, pas encore, et il ressent une pointe d'envie. *J'avais reconnu le B*, pense-t-il. *Au moins, j'avais reconnu le B.*

Un grand tapis bleu occupe le centre de la classe, cerné de toute part par une vingtaine de pupitres de bois. Ça évoque à Jacob une arène de lutte, comme il en voit les dimanches matin à la télé.

CLAP – CLAP – CLAP.

– J'aimerais l'attention du tout le monde, s'il vous plaît !

C'est l'institutrice, et elle ne fait pas peur du tout. Même qu'elle inspire à Jacob un curieux sentiment de pitié. Maigre, le teint laiteux, elle ressemble à une craie qu'on aurait habillée d'une robe fleurie et coiffée d'une perruque.

Par contre, sa voix, elle, est joyeuse et aimable.

– Par ici ! Par ici ! Formez un grand cercle sur le tapis bleu !

La bergère a parlé et les petits moutons, rassurés et heureux, obéissent.

– Je suis madame Bianca, mais tous mes élèves m'appellent madame Bibi. Nous passerons toute l'année scolaire ensemble et ce sera très agréable.

Elle les gratifie d'un large sourire qui fait apparaître au coin de chaque œil une pile de rides, soulignées par des pommettes osseuses. L'éventualité d'une année entière avec madame Bibi apaise le troupeau.

– Je sais que certains d'entre vous sont nerveux, inquiets, se demandent à quoi ressembleront leurs journées dans ce nouvel environnement. (Elle rit.) Soyez tranquilles, les enfants. Ce matin, nous allons répondre aux questions que vous vous posez, et ce, tant que chacun d'entre vous ne sera pas parfaitement rassuré. Ça vous va comme ça ?

Bêêêê, a envie de répondre Jacob.

En chœur :

– Oui madame Bibiiii.

– Mais tout d'abord, j'aimerais qu'à tour de rôle, vous me disiez votre nom, et un petit quelque chose de vous, ou bien un détail concernant vos vacances d'été.

Les boyaux de Jacob semblent se vriller autour d'un axe de terreur. *Parler ? Parler devant tous ces petits yeux étrangers ? Déjà ? N'y a-t-il pas de collation, de sieste en maternelle ?* pense-t-il en calculant le temps qu'il lui faudrait pour rejoindre la sortie à la course.

– Qui va commencer ? insiste la bergère, patiente.

– Moi !

Ce sont les lunettes haut perchées sur le nez minuscule du garçon que Jacob reconnaît en premier. Elles lui confèrent un air futé, une intelligence à la fois savante et maligne. Ce visage à demi couvert par les verres épais, d'où émane une voix haute et sautillante, est d'un comique apaisant pour Jacob.

Une seconde, il se demande si le garçon est parvenu à récupérer sa casquette.

– Ben j'ai eu un été plutôt chiant, ouais, les gens qui habitent au-dessus de chez moi ont fait la fête tous les soirs. Pas moyen de dormir ! Et le carré de sable près du garage est rempli de crottes de chat; c'est à cause des voisins d'en haut; ils ont quatre chats, merde, quatre chats qui chient dans le même carré, ça en fait de la...

– Je te remercie, coupe la bergère, les yeux arrondis. Oh la la ! quel été, hein, les amis ? (Le cercle d'élèves reste muet.) Tu nous dis ton nom, s'il te plaît ?

– Samuel Caplan !

Madame Bibi hoche la tête prudemment, s'abstient

de pousser plus loin l'investigation. « Suivant ! », lance-t-elle à une fillette joufflue qui, le regard braqué sur Samuel, se demande peut-être de quelle manière se présenter après une telle introduction.

Celui qui appellerait jungle cette cour nappée de gravier, plantée de modules, de balançoires, de poteaux à ballon coup-de-poing et de paniers de basket, que l'ombre du bâtiment principal découpe en deux zones distinctes – jour et nuit – serait plus près de la vérité qu'on ne le pense. Attroupés, adossés, isolés, les élèves s'affairent aux activités qui leur sont permises : jeu, discussion, lecture (dans le dialecte de la tribu scolaire : mauvais tours, secrets, racontars). Quelque part on rit, ailleurs on s'observe, se comparant sans cesse, ou encore on vise la tête du plus faible dans un impitoyable match de ballon-chasseur.

Jacob trouve celui qu'il cherche sur l'une des estrades donnant sur le terrain de soccer, ici un banal rectangle d'asphalte marqué de traits blancs à demi effacés.

– C'était toi, ce matin, dans l'autobus !

Le garçon lève la tête ; Jacob jurerait qu'il peut voir son propre reflet dans les verres cerclés de plastique.

– T'étais là ?

– Dans la dernière rangée.

– T'es chanceux, dans ce cas-là. C'était la place de Tommy le Tonneau, l'année passée, à ce qu'on m'a dit.

Jacob se sent soudainement très petit et très faible. Racorni.

– Tommy le Tonneau?

– Le gros crétin qui m'a arraché ma casquette! T'étais là ou pas?

– Oui...

– T'en fais pas. Il perd rien pour attendre. Le chauffeur l'a à l'œil. Encore un mauvais coup et il le fera s'asseoir à la première rangée, avec les filles.

– Ça serait bien, ça.

– Ouais, ça serait drôle. Dis, tu habites près de chez moi? Je ne t'avais jamais vu, avant.

Jacob a une courte et pénible vision de sa mère, endormie sur le canapé, toujours chaussée de ses pantoufles. Il entend même l'horloge essoufflée qui compte le temps.

– Je ne sors pas beaucoup, c'est tout. Tu demeures sur quelle rue?

– Treizième.

Le visage de Jacob s'éclaire.

– Wow! Moi aussi! Dans l'immeuble près de la borne-fontaine!

– Moi, à l'autre coin de rue. On n'habite pas si loin.

– Je m'appelle Jacob.

L'autre fait non de la tête, comme s'il rejetait cette option.

Ce qu'il fait.

– «Jake» c'est mieux.

– Ah bon ?

– Moins long. Tu comprends ? Samuel et Jacob, Sam et Jake. Si on reste copains jusqu'à la fin de l'année, t'imagines toutes les syllabes qu'on va s'épargner ?

– C'est quoi une syllabe ?

Retentit l'interminable cloche qui met fin au court répit des professeurs et provoque, dirait-on, l'hystérie chez les élèves qui se mettent à hurler sans raison. Ils abandonnent leurs jeux et prennent leur rang dans un chaos relatif, déjà à la merci des horaires, des règlements, des contraintes qui régissent leur vie d'étudiants. Jacob, tel un poisson rejoignant le banc, se dirige vers la masse qui forme plusieurs rangées devant les portes qui mènent à l'intérieur.

Il a perdu Sam de vue et examine, le cœur battant, chaque visage adulte au bout des rangs, cherchant en vain celui de madame Bibi. Il remarque – trop tard – qu'il est, et de plusieurs têtes, dans certains cas, le plus petit du troupeau. *Ici, ce ne sont pas des moutons*, pense Jacob. *C'est une meute de loups.* On le regarde de haut ; sourires édentés, cheveux en bataille, airs narquois. Parmi les loups, il reconnaît le fauteur de troubles de l'autobus. Jacob se dit que si ce n'était du noyau de peur qu'il a dans la gorge, il éclaterait en sanglots.

Reculer. Il faut reculer. Rejoindre les moutons. Reculer encore. Doucement. *Bêêêêê.*

Lorsqu'il trébuche vers l'arrière, un court moment

il ne voit que le ciel gris, parfait ciel d'automne, et comprend sans le voir que c'est Tommy le Tonneau qui lui a tendu un piège et fait un croc-en-jambe, que c'est Tommy le roi des loups, et que c'est Jacob lui-même sa deuxième proie de l'année. Le mur de l'école semble s'envoler tandis qu'il tombe ; il redoute les blessures à ses mains qui frotteront l'asphalte, à ses coudes qui craqueront, à sa tête qui s'ouvrira sur un caillou. Mais il y a pire, pense Jacob. Ce à quoi les loups le convient est assurément pire que ces menues souffrances.

Les loups rient.

Les loups bavent.

Les loups mangent.

Il ferme les yeux, juste avant de toucher le sol.

* * *

Sa mère ne lui avait jamais parlé de Dieu. Elle ne fréquentait aucune église, n'invoquait aucun saint, ne décorait leur appartement d'aucun crucifix. De toute évidence, croyait Jacob, un enfant unique, une télé et une cigarette comblaient tous les besoins de sa mère, tant spirituels qu'affectifs (s'il avait pu l'exprimer ainsi). Leur logement de quatre pièces comportait quatre téléviseurs et il s'était demandé d'ailleurs pourquoi il n'y en avait pas dans les toilettes – jusqu'à ce qu'un message télévisé avertisse des dangers relatifs au mariage de l'eau et de l'électricité.

Là, il avait compris.

Dieu – ou l'idée de Dieu – Jacob l'avait connu par l'entremise d'images dans divers livres. Jetés pêle-mêle dans une boîte oubliée dans le garage du propriétaire, ces livres l'avaient fasciné des jours durant, à l'été de ses cinq ans. La boîte en question, marquée d'une croix noire, semblait investie elle-même d'un pouvoir mystique : tous ces livres indéchiffrables, recelant mondes et mystères, véritables trésors, qui étaient à sa portée! Si Jacob avait plutôt découvert une pile de bandes dessinées, c'est à se demander s'il ne serait pas devenu fou sur-le-champ.

Ce qu'il en savait donc de ce Dieu se résumait en une paire de pieds émergeant d'une robe dont le tissu reposait sur des nuages. Ou dans une autre interprétation, en une main gigantesque, accusatrice avec cet index brandi, pointant une mer d'hommes. Le fait que le visage était impossible à dessiner – conclusion judicieuse pour un gamin – conférait à cet être des pouvoirs prodigieux et lui inspirait une crainte sans borne. Ou peut-être était-Il simplement si laid qu'aucun artiste, quelle que fût sa renommée, n'avait su rendre justice à Sa laideur.

Questionnée à ce sujet, sa mère avait répondu qu'Il était « le Bon Dieu ». Fin de la discussion.

Tout l'intérêt de Jacob se tourna alors vers ces étranges oiseaux qui, sur la plupart des illustrations, volaient autour de la robe du Bon Dieu, sur et sous Son immense main. « Oiseaux » à cause des ailes, mais qu'on appelait en fait « anges » (sa mère le lui avait affirmé).

Jacob avait été séduit par ces êtres, leur visage bienveillant, leur nudité chaste, leur compassion éternelle, leur singulière beauté.

Tous les anges, sans exception, étaient extraordinairement beaux.

La surprise vint donc en deux étapes, à la fin de sa chute dans la cour d'école. Primo : la douleur ne vient pas, comme s'il atterrissait sur un nuage. Secundo : quand il ouvre les yeux, c'est le visage de l'un de ces anges qu'il contemple.

Une beauté.

Éternelle.

Parfaite.

L'ange-fille porte un t-shirt blanc, orné de cinq marguerites en broderie. Elle a passé un bras derrière la nuque d'un Jacob béat, pâmé. Elle a des cheveux châtains qui encadrent son visage clair, on dirait des rideaux de soie ; la brise passe entre ses cheveux et les fait danser comme des filaments magiques. Dans ses yeux vert de mer valsent des miroirs minuscules, renvoyant à Jacob les reflets de leur beauté décuplée. Quand l'ange lit, dans le regard du rescapé, qu'il va bien – soyons justes, il va bien mais le cœur de Jacob implose à l'infini – elle est rassurée et sourit.

Un sourire d'ange, pense Jacob dont les sens en émoi le mènent candidement vers l'apoplexie. *Il lui manque quelque chose*, est la deuxième pensée cohérente qu'il peut formuler.

– Ça va ? s'enquiert l'ange qui, d'un doigt délicieux, replace une mèche sur le front de Jacob.

– Tu n'as pas d'ailes, répond promptement Jacob.

Elle a un moment de surprise, puis éclate d'un rire mélodieux. Une symphonie. Or, cette musique est d'abord noyée par les bruits de la cour, les cris des élèves, le chahut des bousculades tandis que les moutons rentrent au bercail, et finalement, par un coup de tonnerre assourdissant. Une pluie tiède et fine commence et presse les enfants. Obéissant aux bergères, ils s'engouffrent dans le bâtiment.

L'ange se relève et aide Jacob à en faire autant. Il regarde aux alentours : les loups ont disparu. Effrayés par l'ange, sans doute. Rien de mauvais ne pourrait tolérer une telle apparition.

D'une voix douce mais grave :

– Ça va, t'es sûr ?

Il sait qu'il doit dire quelque chose : merci, je t'aime, adieu, quelque chose, tu es si belle dans cette pluie qui tombe. Or tout ce à quoi l'ange a droit vient d'un garçon à lunettes :

– Ouais, il ira très bien, t'occupe. Viens Jake. Madame Bibi nous fait de grands signes.

Sam et Jacob reculent vers la porte réservée aux classes de maternelle, tandis que l'ange reste là, bienheureuse, enveloppée d'une aura de bonté – divine, vraiment – et regarde Jacob en attendant d'être seule pour s'envoler dans cette pluie fine et disparaître.

Son nom, pense Jacob.

Je ne sais pas son nom.

* * *

Un autre dimanche se lève avec son lot de promesses ; le meilleur depuis longtemps, avec un soleil magnifique et tout juste assez de vent ; un dimanche qui a oublié que l'automne est à nos portes. Pour Jacob Bespin, cette journée est encore plus spéciale : c'est la première fois qu'il sort de chez lui, qu'il met le pied hors des limites de l'étroite cour clôturée derrière l'immeuble, pour se rendre chez un copain.

Chez Sam, dont la mère a téléphoné plus tôt pour parler à la sienne.

Sam qui devrait arriver d'une minute à l'autre.

Il s'en va jouer avec Sam, et ce dimanche est de loin le plus excitant de sa vie.

Chouette d'avoir cinq ans.

– Tu seras sage, hein, Jacob ?

– Promis.

– Et tu appelles si tu veux que j'aille te chercher.

– Maman, c'est juste au coin.

Elle arrange le col de son manteau. Jacob croirait presque qu'on le prépare pour un défilé de mode.

– Toi, ça va aller, maman ?

Elle penche la tête, baisse les yeux.

– Je me débrouille très bien. Je vais dormir un peu, je crois.

TOC – TOC.

– C'est sûrement Sam ! s'exclame Jacob en se précipitant vers la porte, qu'il ouvre à la volée.

– B'jour Jake. B'jour m'dame.

Schtak qu'elle répond, l'usine à cigarettes à nouveau en production. Puis un hochement de tête. Une approbation.

– Merci maman ! Bye maman !

Dehors, deux garçons marchent côte à côte. À pas lents, désordonnés.

Une errance d'automne.

– Tu l'as revue, toi ?

– Ah non Jake, tu vas pas recommencer, hein ?

– Non mais... c'est bizarre, tu trouves pas ?

– Bah.

– Elle était pourtant là, dans la cour...

– Et elle t'a attrapée, et elle t'a sauvé la vie, et elle était bêêêêlle...

– Arrête, crétin !

– Bêêêêêêlle !

– Caplan, tu m'énerves !

Des rires.

– Elle peut pas avoir disparu, non ?

– Non, elle peut pas. Peut-être qu'elle a changé d'école. Que sa famille est déménagée. T'as pensé à ça ?

– À moins qu'elle soit *vraiment* un ange...
– Oh merde. Qu'est-ce qu'y faut pas entendre !
– Pourquoi pas ?
– Les anges, on les voit pas. Pourquoi pas un fantôme, tiens ?
– Laisse tomber. Un fantôme. Non mais...
– On va au terrain de baseball ?
– Pourquoi pas…

Un soupir.

Puis une amitié qui se soude à jamais.

J'avais oublié les détails de cette journée.
Je me rappelais une fille. Qu'elle était belle.
Mais je n'ai jamais su son nom.
J'avais aussi oublié que ce jour-là, je rencontrais Sam.
Jour-clef.

Se souvenir est la reconnaissance qu'a l'esprit du passé.
À condition que ça soit vrai.

Tout ce qui me revient, qui me remonte en mémoire comme des bulles à la surface de l'eau, est-ce que tout cela est vrai ?

Ou est-ce que mon esprit, prisonnier de ce corps inerte, s'amuse à réarranger faits et souhaits en juxtaposant années, images et sons ?

Je ne peux ni bouger, ni parler, ni voir.

Sons et parfums se rendent jusqu'à mon cerveau, stimuli pour lesquels je n'ai besoin d'effectuer aucune manœuvre ; je serais inconscient que ces sens rempliraient tout de même leur fonction.

Or j'ai conscience.

Je vis.

Mon état s'apparente à un sommeil d'où on ne peut être tiré qu'on appelle le coma.

À moins d'être fou, ce qui est du domaine du possible, je suis dans un hôpital, plongé dans le coma.

Comment y suis-je arrivé ?

Et quand en émergerai-je?

Jamais, peut-être.

Mais surtout, quand entendrai-je les voix réconfortantes de ceux que j'aime ?

Où êtes-vous donc en ces heures sombres ?

Peut-être cette demi-mort dure-t-elle depuis vingt, voire trente ans. Qui sait ?

Et si ce n'était pas plus mal pour autant ?

Fabulons :

Élia, désormais mariée, est mère de deux garçons.

Anna, leur grand-mère, une vieille Allemande hygiéniste dentaire à la retraite, s'assure qu'ils se brossent les dents tous les jours et soient bien coiffés.

(Maman, elle, est morte ; je m'en souviens. Smitrovich aussi. Ça, c'est réel.)

Sam et Bernhard vivent en Europe ; ils y savourent une retraite heureuse du monde de l'hôtellerie.

Moi, je suis veillé par des infirmières, des machines et des tubes, le lit creusé par le poids des années, entouré d'une panoplie de lumières vertes et rouges. À tous les cinq ans, ou quand les planètes s'alignent, ces machines enregistrent des signes d'activité cérébrale qui laissent perplexes les spécialistes.

C'est mon histoire.
C'est mon procès.

Et c'est tout ce qui me reste.

Non ?

4

– C'est tout ce qui me reste, mademoiselle, s'excuse Jacob, sincère.

Tandis que la fille refait une lecture de la liste des saveurs, Jacob, une grosse cuillère de service à la main, s'éponge le front avec l'avant-bras. La chaleur à l'intérieur du camion est étouffante, accablante; mêlée aux odeurs de vanille, d'orange, de praline, de menthe, de fraise et de quatre parfums de chocolat, elle fait regretter à Jacob la chaise que Leander eût bien voulu lui fournir au cas où ses étourdissements reprendraient.

– Alors tant pis. Fais-m'en une aux fraises et une à l'érable. Non ! Au caramel. T'en as au caramel ?

Dans le four moite qu'est devenue la GLACIÈRE AMBULANTE en cette soirée de juillet, Jacob rêve d'enfoncer sa cuillère dans la cervelle spongieuse de cette fille et de la lui servir sur un cornet.

– Oui mademoiselle, répond-il, prince de courtoisie. On vous sert une, deux ou trois boules ?

Aussitôt ces mots dits, il le regrette ; voilà la cliente prise au dépourvu par cette multiplication de choix. Elle doit aller consulter son copain bedonnant qui l'attend, assis dans la première rangée, près du box des joueurs. Finalement, sans grande surprise, on oublie le caramel : ce sera deux cornets aux fraises, trois boules.

Jacob s'empresse de les lui servir, accepte les dollars et le maigre pourboire.

Quand les relents sucrés, telle une nuée de moucherons, l'assaillent à nouveau, lui beurrant le cerveau d'un miel écœurant, il passe la tête au-dehors et crie :

– Sam ! Tu me remplaces quelques minutes ?

Debout derrière le grillage servant à retenir les fausses balles, Samuel Caplan n'a rien entendu. Le frappeur vient de catapulter la balle de l'autre côté du muret. L'équipe locale marque deux points et la petite foule engloutit l'appel de Jacob sous les applaudissements.

– Hé !

Sam sursaute quand il sent une main s'abattre sur son épaule.

– Jake ! T'es tout pâle ! Ça va ?

– Mieux. Ce match, il achève ?

– Ouais ! Victoire en neuvième manche ! Quelle remontée, hein ?

Jacob lève des yeux noirs et sourit froidement.

– Pourrais pas dire, vieux. Je travaillais, tu vois...

– Désolé, j'étais complètement aspiré par le match. Wow !

Jacob prend de profondes respirations, espérant chasser l'odeur de crème glacée qu'il traîne partout.

– Si t'aimes tant le baseball, pourquoi tu joues pas ?

Les mains enfouies dans les poches, Sam regarde les poignées de mains, les accolades, les félicitations échangées par les vainqueurs rassemblés sur le monticule du lanceur et éclairés par les puissants projecteurs autour du terrain.

– Jouer ? Pas pour moi. Regarder ça me convient.

La foule de spectateurs se dissipe et les projecteurs s'éteignent, ne laissant bientôt que des lumières de service.

– Bon, on ferme boutique ? Smitrovich devrait être là dans une trentaine de minutes.

– Pas d'inconvénient à ce que je te laisse le nettoyage des sceaux et des cuillères ?

Jacob prend un air maladif que Sam soupçonne un peu exagéré.

– Petite nature ! Tu laveras le plancher *et* l'extérieur du camion, pour ça !

– Salaud !

L'annonceur radio coupe les dernières notes d'une chanson de Jackson avec un bulletin de nouvelles qui dépeint les effets de la dernière vague de chaleur. Quand Jacob entend les coups frappés sur le panneau fermé – de véritables coups de massue – il devine que ce ne sont pas les premiers.

– Sam ! Baisse un peu la radio !

Un bras appuyé sur la vadrouille, Jacob montre du pouce le panneau et articule exagérément le mot *client*. Sam obtempère et en profite pour chercher une station qui aurait l'audace de ne faire jouer que de la musique, rien que de la musique.

– C'est fermé, crie Jacob à travers les vitres doublées de bois du panneau.

Quelques secondes, puis trois autres coups.

– Désolé, c'est fermé ! insiste Jacob, appuyant sur chaque syllabe.

Bang – bang – BANG.

Sam lève la tête, regarde sa montre et tourne un index près de sa tempe.

Jacob soupire et hausse les épaules. D'un mouvement rapide, il fait glisser la fenêtre vers la gauche et sauter les deux crochets de sécurité du panneau de bois.

– Attention au menton ! Reculez, s'il vous plaît !

Presque noyé dans les ténèbres, le terrain de baseball donne l'impression d'avoir été abandonné aux fantômes d'anciens joueurs. Les chênes bruissent doucement, forts de confidences qui dureront toute la nuit. Un chien perdu lève dignement la patte sur une poubelle, puis repart et longe le terrain vers la rue. Le cabot semble se demander quand viendra le jour où il aura la chance de parcourir le champ gauche. Toutes ces balles !

– Qu'est-ce qui se passe ? lance Sam.

– Y'a personne, crie Jacob en balançant le regard à gauche et à droite.

– Quelqu'un veut s'amuser, on dirait.

– Monsieur Smitrovich ?

Cependant, ça lui paraît improbable. L'horloge accrochée au-dessus de la porte arrière indique dix heures dix ; Smitrovich ne les rejoint jamais avant dix heures trente. Il comptabilise alors les recettes hebdomadaires et l'inventaire avant de ramener le camion chez lui.

– Leander, c'est vous ?

Trois garçons se lèvent brusquement devant lui, hurlant à tue-tête. Jacob bondit vers l'arrière et se heurte avec fracas à une tour de seaux vides, à la même seconde où le panneau s'abat sur la tête du plus grand des voyous. Sam se précipite vers le comptoir et manque de culbuter à son tour sur Jacob, étendu de tout son long. Le panneau bouge, manipulé de l'extérieur ; apparaît soudain un visage joufflu fendu d'un sourire mauvais. Sam sent dans ses muscles la raideur de la colère.

– Qu'est-ce que tu fiches ici, Tommy ? crache-t-il en empoignant Jacob sous les bras.

– Salut les cons, ricane Tommy. Faisiez quoi, là-dedans ? Vous jouiez à touche-pipi ?

Palpant la bosse sur son crâne, le grand niais à droite de Tommy joint son rire de poney à ceux des deux autres.

– Qu'est-ce que vous voulez ? demande Jacob, levant à nouveau les yeux sur l'horloge.

– T'es stupide, Bespin ? Tu crois que je suis ici pour des hamburgers ?

– Hamburgers ! répètent les deux autres en

s'esclaffant.

– T'as des hamburgers, dans ta chiotte, Bespin ?

Sam ferme les poings. Avance d'un pas.

– Fous le camp Tommy. C'est fermé.

Le regard de Tommy le Tonneau noircit subitement et fond sur Sam.

– Je t'ai pas sonné, Caplan. Je parle à ta copine, là.

– Ta copine ! reprennent les comparses du lourdaud.

S'interposant entre Sam et Tommy, Jacob tente d'ignorer l'envie maligne qui lui prend de soulever le panneau et de le laisser choir à nouveau sur leur tête.

– Tu sais parfaitement qu'on ne vend que de la crème glacée, Tommy, dit Jacob patiemment.

– J'en veux, pauvre cloche, nargue Tommy. Vanille. Trois boules.

Sam abat son poing sur le bord de la fenêtre.

Dans les yeux du balourd flotte un reflet de crainte.

– J'ai dit fermé, crétin. Ramasse tes deux attardés mentaux et allez vous promener !

Tommy souffle comme un buffle, ses joues grasses rosies et luisantes.

– Je me doutais bien que tu savais pas compter, Caplan. Donc je vais t'aider. De ce côté, on est un, deux, trois. Du vôtre, un, deux. Trois contre deux. Vous êtes dans la merde, les copines.

– Trois ? répond Sam, affichant un large sourire. Ben je croyais que t'en valais deux, Tommy !

La main potelée de Tommy fend l'air et se referme

à quelques centimètres du cou d'un Sam déridé.

– Je vais t'en coller une, Caplan, hurle Tommy qui est retenu par ses complices qui ne rient plus à présent.

En guise de réponse, Sam lève les sourcils et fait oui du chef.

– Ça suffit les gars, intervient Jacob. Tu veux un cornet, Tommy ? Je vais t'en faire un. Ensuite, tu nous laisses travailler en paix. Je n'ai eu aucun problème depuis que je bosse ici et j'en veux pas ce soir non plus.

Les yeux toujours vissés à ceux de Sam, Tommy le Tonneau répond :

– Tu causes trop, Bespin. J'attends mon cornet.

Jacob lève les mains, entérinant ainsi le traité de paix.

– Maintenant, je vais refermer le panneau. Ça sera prêt dans une minute.

Ils échangent un regard sauvage. Un défi.

Tommy lève lui aussi les mains et recule d'un pas.

– Pourquoi tu fais ça, Jake ? se fâche Sam, aussitôt le panneau retombé. Tu vas *réellement* lui préparer sa commande à ce gros imbécile ?

Un cornet vide dans une main et une cuillère propre dans l'autre, Jacob sert à son ami un clin d'œil malin.

– Smitrovich sera là bientôt, Sam. Jouons-la cool et on évitera la bagarre.

– Mais on n'a pas besoin de Smitrovich, grogne

Sam, les dents serrées. Je vais lui éclater la gueule, au Tonneau ! Donne-moi le temps d'enfiler mes espadrilles et...

Jacob enfonce habilement la première boule au fond du cornet.

– J'ai pas envie que tu te battes, Sam.

– Mais Jake, merde, on va pas laisser ces trouducs nous rire au nez !

Jacob prend un air offusqué, puis montre les dents.

– Tu me sous-estimes, mon vieux. Il existe plusieurs moyens de se venger.

Sam observe avec amusement les grimaces de Jacob qui remue les joues et la bouche comme s'il mâchait le plus gros chewing-gum du monde.

– Qu'est-ce que tu...

Plaçant le cornet à bonne hauteur, Jacob laisse couler un long filet de bave sur la première boule blanche. Puis il recouvre le tout d'une deuxième boule.

– Oh quel salaud tu fais, Jake mon pote ! Quel salaud ! ricane Sam en mastiquant le vide autour de sa langue et se frottant les mains de plaisir.

De l'autre côté du panneau s'élève la voix moqueuse de Tommy le Tonneau.

– Ça vient, ce hamburger ?

Rires d'hyènes.

Le cornet devant lui, Sam suit le plan à son tour, souillant la vanille de bulles de bave. Une fois la troisième boule servie, Jacob fait signe à Sam – qui résiste à l'envie de pouffer de rire – de pousser le panneau.

– Tiens ! Vanille triple boules, dit-il en tendant le cornet à Tommy qui s'en empare et y passe une langue épaisse, avide. Hé, où sont passés les deux autres ?

Ses grosses lèvres barbouillées de blanc, Tommy le Tonneau esquisse un geste du menton vers sa droite.

– GO ! crie le Tonneau.

Ce que Jacob croit, tout d'abord, c'est qu'on lui a balancé de la monnaie par la tête. Il entrevoit la fuite des deux compères de Tommy qui détalent vers le premier chêne, puis Tommy lui-même qui saute pour attraper le panneau avant de le refermer violemment.

C'est au moment où Sam lui crie quelque chose qu'il distingue une odeur sulfureuse, méphitique, et un sifflement presque inaudible qui provient du plancher du camion.

Le visage de son ami n'est plus que panique.

– Pétards !

D'un geste qui leur parut, plus tard, irréfléchi, Sam ramasse la botte de pétards allumés, retenus par un élastique.

Une bombe.

Les deux garçons poussent de toutes leurs forces sur le panneau de bois qui refuse de bouger. De l'autre côté leur parvient le gloussement mauvais de Tommy le Tonneau et de ses acolytes. Jacob recule et s'élance sur le panneau qui bouge à peine.

Trois contre deux, avait dit Tommy.

Sam crie :

– Hé ! Vous êtes malades ? Poussez-vous de là !

– Ça va faire BOUM les copines !

Jacob est paralysé, le regard braqué sur la mèche sifflante.

– Viens ! ordonne Sam qui lance la bombe dans un seau vide et tire Jacob vers l'avant du camion.

– Sortir, bafouille Jacob.

– Plus le temps, fait Sam une seconde avant la détonation.

BOUM !

* * *

Un mouchoir rouge de sang sous le nez, Jacob baisse les yeux quand il voit Leander Smitrovich descendre le trottoir menant jusqu'au terrain de baseball. L'homme est vêtu de sa fidèle chemise blanche aux manches retroussées ; il perd vite son air serein quand il approche de la GLACIÈRE AMBULANTE.

– Jacob ? Qu'est-ce qui s'est passé ? Tu vas bien ? s'écrie-t-il en se penchant sur le garçon.

Jacob ignore s'il a plus honte d'avoir laissé Tommy le Tonneau endommager le commerce de Smitrovich ou d'être vu le nez pissant et les yeux humides, loque en détresse, adossé au camion blanc.

– Ça va aller, monsieur Smitrovich. Ça va aller.

– Où est Sam ?

– À l'intérieur. Il ramasse les morceaux.

Smitrovich se rend jusqu'à l'arrière du véhicule. Sa voix parvient à Jacob de loin, bien plus loin que les quelques mètres qui les séparent.

– *Kurczę !* Qu'est-ce qui s'est passé ici ?

Jacob écoute distraitement Sam relater les faits avec colère. Puis il perçoit le regret dans les mots du vieillard, regrets de les avoir laissés seuls, de ne pas être arrivé plus tôt. Jacob frappe le sol du pied, à s'en briser le talon. Le vieux Smitrovich avait été bon avec Sam et lui, leur permettant de gagner un peu d'argent depuis le début de l'été, et il ne mérite pas le sort que cet emmerdeur de Tommy a fait subir à son gagne-pain. Jacob redoute ce que cet incident aura comme effet sur les profits du commerce, mais pire encore, sur les mois morts, comme le dit le patron. En temps normal, la GLACIÈRE AMBULANTE roule de la fin avril jusqu'en septembre ; on n'est qu'en juillet. Comment Smitrovich compensera-t-il pour les pertes encourues ?

Jacob avale difficilement, et la honte et la salive teintée de sang ; il crache sur le sol… à deux centimètres du cuir des bottes de Leander Smitrovich.

– Pardon ! Je vous avais pas vu !

L'homme balaie les excuses d'un revers de la main.

– T'en fais pas, mon garçon. Et puis c'te chariot a vu pire. (Il rit. *Comment peut-il rire ?* pense Jacob.) Bon, peut-être pas pire, mais il survivra. Tommy le

Tonneau, c'est le crétin du village, oui ?

– Pour être honnête, explique Sam, les mains noires de saleté, ce sont ses deux serviteurs, Raté et Crotté, qui ont fait le travail de dynamitage. Mais aucun doute que c'est lui le cerveau de la bande.

Jacob pouffe à son tour, ce qui lui envoie une décharge électrique grimpant de l'arête du nez jusqu'au haut du crâne.

– Cerveau ? Tu parles ! Si c'est Tommy le cerveau du groupe, étonnant qu'ils se soient pas perdus en marchant jusqu'ici. Oh, mon nez ! Ça fait tellement mal ! Permettez que je pleure ?

Leander pose un genou par terre et regarde les blessures du garçon.

– C'est ce malade qui m'a projeté sur le tableau de bord, ajoute Jacob en montrant Sam du doigt. Il mériterait une baffe si j'étais sûr qu'il ne m'avait pas sauvé la vie.

Sam lève fièrement deux pouces en l'air en grimaçant.

– T'exagères. C'était quand même pas du TNT ! Mais j'aime bien l'idée que tu m'en doives une.

Leander Smitrovich se relève et soupire.

– Bon, je vous ramène chacun chez vous. Assez d'émotions pour aujourd'hui.

– Peux pas, réplique Jacob. Si je rentre à la maison avec cette tête, je pourrai pas éviter l'interrogatoire et ma mère m'interdira de travailler pour vous.

– Et il y a cette tache sur ton t-shirt – qui ressemble,

on jurerait, à la botte de l'Italie – qui sera dure à faire disparaître...

Jacob laisse sa tête retomber entre ses genoux.

– L'Italie ? Merde. Quelle soirée.

– Viens chez moi, fait Sam. On t'éponge le nez, je te prête un chandail et t'auras pas à déballer ton sac à ta mère.

Jacob regarde un Smitrovich soulagé.

– Tu vois Jacob ? Ça sert à ça les amis ! Allez, on y va ! Demain, congé pour vous deux. On reprend le service samedi prochain. O.K. ?

Un mouchoir humide en guise de moustache, les épaules basses, Jacob prend place dans le camion. La vue du sang séché sur le vinyle du tableau de bord, ainsi que l'odeur rance des explosifs le suivront jusqu'à l'arrivée chez Sam, puis tard dans la nuit. En fait, elles le suivront pendant bien longtemps.

Cette fois, le souvenir est précis, comme un film.

Le lendemain de l'épisode des pétards, je m'étais réveillé tôt, le cœur battant en rythme douloureux dans mon nez, les yeux soulignés de cernes noirâtres. J'avais rêvé – je me rappelle du rêve, comment est-ce possible? – d'un match de baseball dans lequel j'étais lanceur, et Sam tenait le bâton, me défiait de lui envoyer ma balle rapide. Une foule immense scandait quelque chose; je n'arrivais pas à la voir, aveuglé par les projecteurs, mais elle grondait comme le tonnerre. Ils devaient être des milliers. Entre mes doigts, je tournais la balle, que ma main moite rendait glissante; je m'obstinais à la garder car je redoutais le prochain lancer.

L'entraîneur parvenait à faire passer sa voix par-dessus celle de la foule

J'ai pensé : c'est mon père. C'est la voix de mon père.

Mais impossible de distinguer son visage, caché dans l'ombre. Il me criait de faire mon travail, de retirer ce frappeur, de lui envoyer un vrai boulet de canon, la victoire était à nous! Moi, je regardais Sam et faisais non de la tête.

Car je savais.

Je savais que la balle dans ma main n'en était pas une.

C'était une bombe.

Et elle allait exploser dès que le bâton entrerait en contact avec elle. Le bâton de Sam. J'allais le tuer. J'allais tuer mon meilleur ami.

Sur le banc des joueurs, mes coéquipiers semblaient paralysés ; eux aussi savaient. Ils étaient tous terrifiés, tous sauf un, qui affichait un rictus mauvais sous sa large casquette qu'il portait de travers. Tommy le Tonneau. Tommy jouait dans la même équipe que moi ; il hochait la tête, l'excitation dévorant ses yeux. Probablement était-il le responsable, celui qui avait placé la bombe dans la balle. Je le haïssais intensément.

La clameur de la foule montait d'un cran, la suite était inévitable. Je ne pouvais plus reculer ; il fallait lancer, déjouer le frappeur pour que le bâton ne touche jamais à ce tir.

Je plaçai les doigts en fourchette sur les coutures de la balle, pris mon élan, les yeux braqués sur le gant du receveur. Quand la balle quitta ma main, que la foule se tut comme si on avait vidé le stade de tout oxygène, je regardai Sam et lus dans ses yeux qu'il avait soudainement compris ce qui se tramait, avait flairé le piège. Mais il acceptait à contrecœur, tout comme moi, que les choses allaient suivre leur cours. Impossible de les arrêter.

C'est comme ça dans les rêves.

La balle siffla, trait flou dans l'air chaud ; Sam, à contrecœur, s'élança.

Puis l'explosion.

Pas celle de la balle, celle de la foule, vers laquelle

la balle se dirigeait, catapultée par-delà la clôture du champ centre, sur laquelle un grand panneau indiquait la GLACIÈRE AMBULANTE, *36* SAVEURS DE CRÈME GLACÉE. *Les deux abris se vidèrent de leurs joueurs, les uns heureux de la victoire, les autres soulagés que cette balle en ait été réellement une. Sam me fit un clin d'œil, le pouce en l'air, et entama sa course vers le premier but, fier comme un dieu.*

Pourtant Tommy le Tonneau, dont seul le visage dépassait d'un muret, continuait de rire et hochait la tête – oui-oui-oui – de plus en plus vite.

Un démon.

Sam courait. La foule hurlait, déchaînée. Peut-être avait-elle senti qu'une tragédie avait été évitée de justesse. Moi, sur le monticule, je n'étais plus sûr de rien. Sam courait vers le coussin. Tommy riait. Quatre enjambées et les crampons de Sam toucheraient le premier but. Tommy. Le premier but. Une enjambée. Sam. Tommy. Premier but.

Elle était là, la bombe.

Sous le coussin.

Réveil.

Je n'avais pu m'empêcher d'appeler Sam et de lui raconter ce rêve, ce qui l'avait fait rigoler et me traiter de fillette. Ça m'avait rassuré d'entendre sa voix et m'avait fait décrocher de ce cauchemar noir et collant. « On se sent coupable, Jake, mon pote, c'est tout », avait-il conclu, et c'était vrai ; je me trouvais dans un état *lamentable, avec des douleurs physiques insignifiantes comparées à celles qui me lacéraient le cœur. Les pétards de Tommy auraient pu blesser sérieusement Sam, nous blesser tous les deux ; nous avions été chanceux. Mais je ne cessais de penser à monsieur Smitrovich, aux dommages subis à son camion et je décidai de me rendre chez lui pour m'occuper moi-même du nettoyage.*

Ce fut la dernière fois que je me rendis à la GLACIÈRE *AMBULANTE.*

Comment le reste de mon adolescence se serait-il déroulé si j'avais simplement attendu au samedi suivant pour revoir mon patron et ami ?

C'était une matinée belle et chaude, je m'en souviens parfaitement, promesse d'une journée d'été idéale. J'avais marché jusque chez lui, une bicoque grise au toit meurtri par de nombreux hivers et peu d'entretien. Comme toujours, le camion blanc était stationné dans la ruelle qui passait derrière la maison. Le clown peint sous l'arc-en-ciel de lettres me gratifia de son éternel sourire ; je m'abstins d'appeler monsieur Smitrovich, ignorant s'il dormait encore, espérant que ce soit le cas. Je m'investirais alors dans la besogne sans avoir à soutenir son regard, à subir sa présence qui n'aurait qu'accentué le malaise qui m'habitait.

Je passai à l'arrière du camion et ouvris doucement les doubles portes. Je redoutais de me retrouver à l'intérieur, la peur et les pétards de la veille toujours à l'esprit. Mais il le fallait.

Si j'avais su…

Leander Smitrovich était assis sur un seau renversé ; il portait sa vieille chemise blanche, ouverte sur toute sa longueur. Je voyais les poils gris qui parsemaient sa poitrine et une cicatrice sinueuse qui partait du sternum pour disparaître sous le bras gauche. La tête rejetée vers l'arrière, il râlait, soupirait, comme en proie à une plaisante ivresse. Il avait les mains posées sur la tête d'une fille agenouillée entre ses jambes, fille parce que ses longs cheveux reposaient sur le bleu et rouge de son costume de clown. Je dus émettre un son, car elle se tourna alors vers moi, son visage blanc de Pierrot-la-Lune me fixant froidement, masque de mille questions silencieuses m'obligeant, à la fin, à baisser les yeux. « Tu n'as rien à faire ici », disaient ces yeux doux, résignés. « Continue, t'arrête pas, t'arrête pas », disait Smitrovich, aux portes du paradis. Je n'aurais su dire l'âge qu'elle avait ; sûrement plus vieille qu'elle n'en avait l'air, du moins j'ose l'espérer.

Je restai là, incapable de partir, transi ; la jolie clown était retournée à son ouvrage, mouvements réguliers de sa petite tête, soubresauts et moulinets. Je refusais de partir, comme si cela allait faire que tout s'arrête, afin que je puisse nettoyer les taches noires qui couraient sur le sol et les armoires, accomplir ma tâche et foutre le camp, tenter d'oublier ce week-end maudit. Je ne bougeai donc pas, jusqu'à ce que Smitrovich ouvre les yeux et échappe un hoquet de surprise. Il cria mon nom, mais je courais déjà, à fendre le vent, le cœur déchiré entre dégoût et colère, souhaitant n'avoir rien vu, rien entendu.

Je courus jusqu'à ce que mes tempes battent, qu'un poing enflamme ma rate.

Il est parfois pénible de se souvenir.

Que me reste-t-il d'autre, aujourd'hui ?

Attendre.
Respirer.
Attendre.

Laisser le passé remonter comme des bulles à la surface d'un lac. Ou comme des poissons morts.

Respirer.
Attendre.
Attendre.

...jusqu'à ce qu'on me soulève une paupière et me braque un soleil dans l'œil.

3

Aveuglé par le puissant éclairage juste au-dessus de sa tête, Jacob cligne des yeux afin de chasser le soleil qui danse comme une armée de feux follets sur sa rétine. Il se demande pourquoi certains dentistes ne rendent pas plus agréable leur salle de torture. Ne gagneraient-ils pas au change ?

Apparemment non, pense Jacob qui espère se détendre avant l'arrivée du sadique en camisole bleue.

Inconsciemment, il pose une main sur son entrejambe, palpant discrètement le tonus de ses couilles ; il regrette de s'être laissé radiographier quelques minutes plus tôt. La gentille technicienne l'avait invité à s'asseoir, à poser son menton là, puis à mordre à belles dents dans un morceau de plastique. Quand il considéra, bien malgré lui, combien de personnes avaient eu dans la bouche cette monstruosité dans cette seule et même journée, il n'aurait pu croire son désespoir plus grand.

Erreur.

Ce désespoir se trouva décuplé quand on l'habilla d'une sorte de veste pare-balles, avec un bout spécialement conçu pour recouvrir aussi les parties intimes. La technicienne n'avait pas jugé nécessaire d'expliquer les véritables dangers des rayons X sur les zones exposées du corps, en particulier le cerveau.

Mademoiselle, qu'en est-il de mes neurones ? Si votre appareil photo nucléaire peut réduire en bouillie l'intérieur de mes testicules, quels seront les dommages pour ma cervelle, mon savoir, ma mémoire, moi ?

Bien sûr, ces questions, personne ne les pose, pense Jacob toujours seul dans la salle numéro deux, étendu sur la chaise de cuir, vulnérable comme un condamné. *Nous, êtres dociles et confiants, nous en remettons aux autorités compétentes sans rien remettre en doute et hop ! qu'on nous transperce de rayons gamma s'il le faut, pourvu que nos dents soient blanches !*

La technicienne n'avait rien expliqué et l'avait sommé de ne surtout pas bouger (surtout pas ? pourquoi *surtout ?*), que cela n'allait prendre que quelques secondes. Il avait pensé à Hiroshima, aux derniers instants de ses habitants. Là aussi, tout n'avait pris que quelques secondes.

– Monsieur Nguyen ! Vous allez bien ? fait une voix de ténor trop enjouée.

Le dentiste. Qui repousse d'une main la lampe-soleil.

– Bespin. Je m'appelle Bespin, répond Jacob, s'interrogeant sur la lucidité d'un homme pouvant le confondre avec un certain Nguyen.

– Bespin ? Bespin... Vous en êtes bien sûr ?

Absurdement, Jacob hésite et reste coi ; en est-il parfaitement sûr ? Et s'il était *vraiment* ce Nguyen dont le cerveau muté par les rayons X l'aurait trahi, lui faisant croire qu'il était en réalité un autre homme appelé Jacob...

– Bespin ! Voilà ! Voilà, j'ai retrouvé votre dossier. Excusez-moi, mon cher.

– D'accord, répond Jacob d'une voix neutre, mais c'est la seule chose que je vous pardonne pour aujourd'hui. Plus droit à l'erreur.

Le dentiste rit de bon cœur de cette blague qui, Jacob manque le lui dire, n'en était pas une.

– Voyons voir cette dentition. Ouvrez bien grand. Vous pouvez ouvrir les yeux, aussi. J'ai ajusté la lampe.

Non. Je refuse de vous regarder, monsieur le dentiste.

– Pas si mal, tout ça. L'hygiéniste s'occupera du nettoyage. On se revoit ensuite, d'acc ?

Ah! monsieur ne fait pas le nettoyage ? Il préfère déléguer la besogne à ses esclaves sous-payées ? Remarquez, ça s'explique ; si l'hygiéniste m'ouvre une gencive de la racine jusqu'à l'œil, ce n'est pas vous qui serez poursuivi. Aurez-vous au moins la décence de lui refiler le nom de l'un de vos potes avocats ?

– O.K., répond Jacob.

– Mademoiselle Greifswald ? J'ai un patient pour vous. Salle deux. À tout à l'heure, monsieur Bespin.

Greifswald, Greifswald, se répète Jacob en laissant son esprit dériver là où ce nom l'emmène, c'est-à-dire par-delà les mers nordiques. Il se tient debout à la proue d'un navire viking, l'océan au froid mortel fendu par la coque en tête de dragon, les côtes au sud toujours enfumées par leur dernier raid sanglant ; les voiles blanches et rouges qui accueillent l'aquilon, le résultat des pillages sur le pont, les hommes aux barbes hirsutes qui chantent, victorieux, puis Greifswald, l'imposante diva viking, qui entonne un hymne à la guerre dans un registre à faire imploser les mouettes haut perchées près de la vigie...

Nguyen. Greifswald. Et puis quoi encore?

Quand Jacob entend quelqu'un s'approcher, il garde les yeux fermés, ses doigts s'enfonçant lentement dans le cuir des appuie-bras.

– Monsieur Bespin? Mon nom est Anna Greifswald, fait une voix teintée d'un doux accent, étrangement agréable pour une diva viking.

Cédant à la curiosité que provoque ce timbre inattendu, il ouvre les yeux et, une fraction de seconde, aveuglé par l'éclat de la lampe-soleil, il est transporté dans la cour d'école de son enfance, alors qu'il tombait à la renverse, le matin où un ange lui était apparu et l'avait sauvé.

* * *

Jacob voit d'abord l'éclipse causée par le visage de cette Anna Greifswald devant la puissante lumière – on dirait réellement une éclipse; du moins ce visage en a-t-il la superbe, l'extraordinaire. Les lèvres semblent avoir été dessinées, sublimes, tout comme le nez, court et fin. Les paupières très légèrement maquillées battent sur des yeux bleus dans lesquels dansent des pigments gris ; des yeux de fée, pense Jacob, ébahi. Il voudrait sauter sur ses pieds et reculer de quelques pas afin de prendre toute la mesure de cette beauté, d'en goûter les détails, la justesse des traits, d'en apercevoir l'aura, oui, car celle d'Anna Greifswald doit être visible à des kilomètres.

Pas une fée. Un ange.

Son ange.

– Vous allez bien, monsieur Bespin ? Vous êtes tout pâle.

Elle me trouve pâle. Elle me trouve pâle. Elle me…

– Je vais regarder vos dents, d'accord ? Tournez-vous vers moi juste un peu.

Elle me vouvoie. J'ai vingt-deux ans et elle me vouvoie. Comment s'y prend-on pour dépâlir ? Allez Jake ! Reprends des couleurs ! Atterris !

– Ouvrez bien grand. Voilà.

Je suis un monsieur pâle de vingt-deux ans. Je veux mourir maintenant.

– Je vais procéder à l'examen. Je dois gratter vos dents avec cet instrument-là.

Quel est cet accent ? Greifswald ? Est-ce allemand ? Hongrois ? Quel âge peut-elle avoir ? Pourquoi ai-je repensé à cette fille de la petite école ? Et si c'était elle ? Tout ce temps, elle aurait été ici et jamais nous ne nous serions croisés ? Impossible ! Où aurait-elle appris l'allemand ? Non, ce n'est pas elle. Mais elle est tout aussi belle…

– Vous geignez, remarque l'hygiéniste dentaire,

chuchotant comme lorsqu'on tente de réveiller en douceur un dormeur, toujours affairée à piquer les molaires.

– Hein ? E-cu-é oi ! E chui é-zo-é !

– *Vorsicht!* Attention ! s'écrie Anna Greifswald en riant, le pic toujours dans la bouche du patient. Je risque de vous blesser !

Bravo Jake, fait la voix de Sam, sortie de sa tête comme un diable en boîte. *Si d'être un parfait idiot était l'effet que tu voulais produire, c'est dix sur dix. Impossible de faire mieux.*

– Maintenant, ne bougez plus.

Jacob s'applique donc à rester parfaitement immobile, se délectant du visage penché sur le sien qu'il peut étudier à loisir. Il arrête son regard dans celui, brillant de concentration, de la jeune femme, jusqu'à ce qu'elle le fixe à son tour.

– Généralement, les gens regardent au plafond. Ou ont les yeux fermés. (Elle retire le pic, l'essuie en deux temps sur la bavette de papier que Jacob porte au cou.) Pas vous, hein ?

– Pardon, fait Jacob, bafouillant de gêne. Je ne voulais pas vous mettre mal à l'aise, mademoiselle. Je... (Nerveusement, il attrape la bavette et manque de s'éponger le front avec avant de la laisser tomber avec dégoût.) Continuez votre travail. Je veux dire... Si vous n'avez pas terminé, vous pouvez continuer.

Il a la certitude, la sensation physique de rétrécir ; bientôt, Anna Greifswald le perdra dans les plis de la gigantesque chaise de cuir et devra le ramasser à l'aide d'un de ses pics à dents.

– Je suis... confus.

– Merci, fait-elle en souriant avant de replonger ses outils dans la gorge du patient.

Garde les yeux fermés, implore Sam. *La regarde pas. Pense à autre chose.* À quoi? *À tes examens de fin de session, tiens.* O.K. Mes examens. *T'as une idée de ce que tu feras ensuite? En septembre?* Je serai bachelier. Je peux aller frapper aux portes des écoles. Enseigner. *Et tes projets de maîtrise? C'est toujours dans l'air, non?* Deux autres années d'études, ça m'est pénible juste d'y penser. J'ai hâte de relaxer, de profiter de l'appartement, de gagner un salaire décent et de faire de la place dans ma vie pour quelqu'un. Qui sait? *Hé ho! Tu remets le cap sur la belle hygiéniste, Jake, mon pote!* Et pourquoi pas? Elle est plus que jolie, son accent est tout ce qu'il y a de plus séduisant, et elle me rappelle cette fille, quand j'avais cinq ans... C'est peut-être la femme de ma vie! *Sois sérieux! Et là n'est pas la question! Tu te crois devenu un tombeur irrésistible? Jacob Valentino?* Hé, j'ai eu plusieurs copines, depuis le collège. Je ne suis pas si moche!

– Veuillez relever le menton... Un peu plus haut... Ouvrez bien grand. Très bien.

Moche? se moque Sam. *Tu comprends rien? Elle n'en aurait rien à faire que tu sois le prince charmant! Change un peu de place avec elle. Imagine-toi dans sa tête, derrière ses yeux...* Pour quoi faire? *Tu es penché sur un jeune homme – qui, soit dit en passant, s'est couvert de ridicule alors qu'on lui curait les gencives – bref, un jeune homme sur lequel tu as une vue imprenable, éclairée par trois cents watts de lumière, une vue que même sa mère n'a jamais eue : sur les parois de sa glotte ; sur sa luette, timide goutte de chair, baignant dans sa salive ; sur la pâteuse blancheur de sa langue ; tu peux t'amuser à reconstruire l'histoire dentaire de ce patient rien qu'à dénombrer les plombages, leur disposition, leur usure ; même si la plupart des patients qu'elle a vus ont la décence de se brosser les dents comme jamais tout juste avant leur visite, parfois tu peux trouver des traces de déjeuner, ancrées entre deux molaires ou sous une gencive enflée...*

– Monsieur Bespin ? Je vais rincer votre bouche avec un peu d'eau. Voilà. On va aspirer cette eau, maintenant. Fermez les lèvres sur l'embout. Comme un baiser.

Un baiser ! Elle me demande d'embrasser un tube de caoutchouc ! *Oh là, t'emballe pas ! Elle a demandé la même chose au bonhomme qui occupait la chaise y'a quinze minutes.* Mais elle m'a souri ! *Et puis quoi encore ! Tu sais ce qui l'a fait sourire ? C'est ton air éperdu quand tu la regardes, tes mains qui tremblent, tes pieds qui cherchent encore la position la plus élégante à prendre, comme si c'était possible dans cette position ! Elle rit parce qu'elle voit jusqu'à six centimètres à l'intérieur de ton nez, tes poils hirsutes, tes dépôts croûtés !* Ça va... *Elle rit aussi à cause de ces choses que tu as oublié d'enlever au coin de tes yeux! Elle les voit magnifiées, terribles, de véritables cailloux de son point de vue!* Assez! J'ai compris! *Sans parler des souvenirs d'acné sur tes joues, invisibles à distance normale, sous un éclairage ordinaire, mais ici évidents comme des cratères lunaires!*

– Bon! Terminé! Pour le nettoyage, préférez-vous une pâte à saveur de menthe, de fruits ou de gomme à mâcher? (Au risque de vous contrarier, mademoiselle Greifswald, je crains fort que toutes ces pâtes n'aient qu'une seule et unique saveur : celle de la pâte, dont la composition chimique, si elle m'était connue...).

J'ai une idée, coupe Sam. *Pour la séduire, pourquoi ne pas lui étaler tes connaissances sur l'Allemagne? T'as vu toutes ces comédies grotesques! Ces reportages sur la Seconde Guerre mondiale! Je te parie que ça l'impressionnerait.*

– À la menthe, ça ira. Merci.

Jake, mon pote, fait Sam, *une chose est indiscutable : il n'existe aucune façon digne de séduire une hygiéniste dentaire. Abdique et garde ton amour-propre intact. Rentre chez toi et appelle-moi. Je risque de bien m'amuser.*

Avant de baisser pavillon, Jacob Bespin s'octroie un dernier voyage, court et intense, dans les yeux d'Anna Greifswald, des étoiles bleues et grises qui explosent, mettent au monde des galaxies, des rivières au fond brillant de mille pierres.

Puis il baisse les paupières et se concentre pour ne pas avaler trop de pâte à la menthe.

Anna…

Comme tu te plais à relater cette misérable expérience à quiconque veut entendre parler de notre première rencontre. De notre histoire.

C'est comme ça que tu l'appelles, non? Notre histoire.

Tu racontes tout ça et tu ris; quand on me demande si ça me gêne de l'entendre ce récit, ma réplique est toujours la même : «C'est ma faute! C'est moi qui lui ai tout raconté!» «Tu dois le regretter, aujourd'hui!», me répond-on.

Non. Je ne regrette rien qui la fasse rire.

À ces curieux, tu parles ensuite du bouquet de fleurs que je t'ai fait parvenir à la clinique, une douzaine de ce qu'on aurait pu confondre avec des tulipes, mais qui étaient des petits dentiers, des sourires de plastique à ressorts avec tiges vertes, agrémentés d'un léger arrangement floral. Tu n'as jamais su, je crois, à quel point j'avais redouté de laisser le livreur quitter l'arrière-boutique du fleuriste. Si ça n'avait été de Sam, peut-être n'aurais-tu jamais reçu ce bouquet. Je me souviens qu'il se moquait de moi, se riait de mon embarras, me répétait : t'es amoureux, assume-le et laisse pas l'opportunité filer. Facile à dire, lui avais-je répondu, pour quelqu'un qui vit toutes ses relations amoureuses dans le plus grand secret. Sur quoi il avait sommé le livreur de partir sans que je puisse l'en empêcher.

Le reste... eh bien, le reste est devenu notre histoire.

Où es-tu Anna ?

Que signifie cette ébullition de souvenirs, précis comme des photographies, qui passent comme une rétrospective ? Suis-je réellement mort, à passer en revue mes actions et inactions, dans l'une des salles d'attente du purgatoire ?

Je respire, Anna. Je sens mon corps se soulever !

J'ai senti une odeur de pomme !

Entendu des voix !

Vu une lumière !

Un homme mort ne peut en faire autant.

Mais toi, où es-tu ? Où est Élia ? Où sont Sam et Bernhard ?

Qu'on me dise où je suis ! Où j'en suis !

J'exige de comprendre !

Je veux vivre !

Je veux profiter du temps qui passe !

Le temps.

Qui ne s'égrène plus en secondes mais se superpose, fracturé, jours et semaines pêle-mêle comme un casse-tête inachevé.

Le temps, qui n'est plus une droite solide.

Le temps.

Oh, mon Dieu !
Je me souviens, Anna.
Je me souviens de tout.
Oh, mon Dieu !

2

Jacob ouvre les yeux.

Un aéroport.

Des visages, par dizaines.

Une voix venant de partout.

« Nous désirons aviser les personnes attendant l'arrivée du vol 1402 que l'avion est retardé dû aux conditions météorologiques et que l'atterrissage est maintenant prévu vers vingt heures cinq. »

Le peu de patience qui lui restait s'est dissous dans la fébrilité de l'attente.

Anna et Élia, si proches enfin.

Il peut déjà sentir l'odeur qu'auront les cheveux d'Anna lorsqu'il la serrera dans ses bras, la douceur des lèvres d'Élia quand elles se poseront sur sa joue.

Le bouquet de roses au creux de son bras, Jacob s'assoit près des fenêtres donnant sur la piste éclairée d'une double rangée de puissantes ampoules. À sa droite, une longue file de passagers attendent leur tour pour s'engouffrer dans la zone de sécurité.

Jacob avale une gorgée de café froid, tentant de chasser le filet d'inquiétude qui lui parcourt l'échine. Depuis septembre 2001, les déplacements d'Anna vers l'Allemagne n'ont plus seulement le poids de l'ennui, mais celui de l'inquiétude.

Et cette fois, Élia est avec elle et cette inquiétude

s'est muée, au fil des semaines qui ont suivi leur départ, en une crainte sourde et lointaine.

Or, cette crainte se fait fil ardent quand le vol 1402 atterrit et se vide de ses passagers, un à un, hommes d'affaires sérieux ou épuisés, vacanciers faisant de grands signes à la masse de gens agglutinée à la vitre, puis finalement les pilotes eux-mêmes, portant des chemises à courtes manches malgré le printemps encore frais.

Jacob reste seul au milieu de la masse et cherche autour de lui, tenant le bouquet de fleurs dans une main, comme un bâton.

L'odeur des cheveux d'Anna s'est dissipée dans sa mémoire et lui échappe à présent.

Ne reste que le parfum des roses qui se fanent, imperceptiblement, à chaque seconde.

Jacob ferme les yeux.

Jacob ouvre les yeux.

Chez lui.

Une boîte de chocolats sur le comptoir, les préférés d'Élia.

Une bouteille de vin rouge et deux coupes, vides et propres.

Sous l'éclairage tamisé de la cuisine, ces objets lui font penser à des accessoires de théâtre, étrangement déplacés, factices. Même si le voyant du téléphone ne clignote pas, il accède à la messagerie vocale, où une femme-robot lui confirme qu'il n'y a aucun nouveau message. La radio, qui aurait dû servir de trame de fond pour la fête du retour à la maison d'Anna et Élia, joue pour le mobilier une mélodie que Jacob ne reconnaît pas.

L'un des vols prévus à leur itinéraire avait vraisemblablement subi un retard important, les faisant rater la correspondance suivante. Se trouvaient-elles coincées à New York? Deux chandelles perdues parmi les milliers de lampions courant les aéroports du globe, fragiles et vulnérables...

Anna n'est ni fragile, ni vulnérable, pense Jacob.

C'est vrai, et ça le rassure un peu, lui fait oublier momentanément le vide autour de lui. En réalité, ce contretemps tournait sans doute à l'aventure pour les deux femmes de sa vie : Élia tout excitée à l'idée de passer une nuit de plus à l'hôtel, après s'être offert une bouffe entre mère et fille dans un bon restaurant. Elle supplierait Anna d'aller dépenser quelques dollars dans les boutiques de l'aéroport, demande à laquelle Anna se plierait volontiers, les vacances se prolongeant malgré elles.

Alors pourquoi ne pas avoir téléphoné?

Voilà l'anicroche dans cette joyeuse théorie, mais elle pouvait s'expliquer. Trafic aérien, files d'attente, courses folles d'un taxi à un autre, simple oubli.

Anna n'aurait pas oublié, Jake, fait la voix de Sam dans sa tête.

Jacob se lève pour aller éteindre la radio et reprend le téléphone; il existe un moyen de savoir si, à tout le moins, Anna et Élia ont bel et bien quitté l'Allemagne : appeler ses beaux-parents. Ceux-ci les auront accompagnées à l'aéroport tôt ce matin. Ciel, peut-être étaient-elles toujours là-bas, prisonnières d'une tempête de neige ayant enseveli toute l'Europe !

Il vérifie l'heure en chiffres verts lumineux sur le four à micro-ondes : 21 h 15. Ce qui signifie, avec le décalage, que l'Allemagne a depuis longtemps entamé sa nuit. Ses beaux-parents lui pardonneraient son appel. Mais ne cédait-il pas à la panique ?

La boîte de chocolats et la bouteille de vin, sur le comptoir, le narguent.

Comme il s'apprête à composer le long numéro qu'il a noté, dix-sept jours plus tôt, près du téléphone, celui-ci sonne.

Enfin.

Anna, pense Jacob, parcouru d'un délicieux frisson de soulagement.

– Anna !

– Jake ?

C'est la voix de Sam, forte, alarmée.

– Ah c'est toi, fait Jacob, déçu. J'espérais que...

– Jake, est-ce qu'Anna est rentrée de voyage ?

Au centre de sa colonne vertébrale, le fil ardent devient pulsations électriques. Malgré ça, Jacob a une sensation de froid intense.

– Sam ? Qu'est-ce qui se passe ? demande-t-il, comme pour repousser la suite, instinctivement avisé que son monde, quelque part, s'est effondré.

– Merde Jake, réponds-moi ! Est-ce qu'Anna est rentrée, oui ou non ?

Jacob refuse de répondre, comme si la vérité allait sceller son destin.

– Jake ? Tu es là ?

Jacob pose le front sur le mur, sent ses genoux faiblir.

Élia.

– Non Sam, les filles ne sont pas là. J'étais à l'aéroport il y a une heure, mais elles n'étaient pas sur le vol prévu.

– J'arrive, coupe Sam. Tu bouges pas, j'arrive !

– Sam ? Sam ? fait Jacob en levant les yeux vers le comptoir.

La boîte de chocolats et la bouteille de vin attendent, infiniment patientes.

Jacob ferme les yeux.

Jacob ouvre les yeux.

Un téléviseur ouvert.

Sam est assis près de lui, mais s'est enfermé dans le silence, exactement comme Jacob lui a sommé de le faire.

Jacob regarde les images et écoute la voix qui parle. Immobile, il fixe l'écran et respire très lentement, une inspiration à la minute, on dirait.

À l'écran, deux mots, en lettres blanches : Londres, Angleterre.

Une voix hors champ, sur un ton typiquement

journalistique :

« C'est avec désarroi que les habitants du quartier Poyle de Londres témoignent de ce qu'ils ont vu en pleine heure de pointe du midi, au cours d'une journée qui avait été, jusque- là, comme les autres. La plupart des gens qui ont accepté de nous parler se trouvaient dans leur voiture, sur l'autoroute M-25. Voici l'un d'eux : (un gros homme moustachu s'exprimant dans l'anglais lent et posé des Britanniques apparaît à l'écran, où son message est sous-titré en français) *J'ai tout d'abord entendu le grondement, c'était assourdissant, comme un tonnerre qui n'en finit plus. J'ai craint un tremblement de terre sauf qu'il n'y avait aucune secousse.*

Une autre personne (poursuit le journaliste) dont le véhicule aux fenêtres ouvertes se trouvait tout près, raconte qu'elle a senti une forte chaleur passer juste au-dessus de son véhicule. Puis, une brunette affolée, tenant un jeune garçon dans ses bras (l'enfant semble hypnotisé par la caméra) se souvient : *Je suis sortie de la voiture, les enfants pleuraient, le bruit semblait venir de partout. Quand j'ai aperçu l'avion, toute l'aile gauche brûlait, c'était terrifiant. L'avion penchait si fort de l'autre côté, j'ai eu peur pour les voitures plus en avant sur l'autoroute. Heureusement qu'il y avait cette colline, là-bas, et un champ.*

Effectivement (reprend le journaliste à l'écran), l'événement aurait pu être doublement tragique si le pilote, on s'imagine dans un ultime effort, n'avait réussi à dépasser la longue file de voitures pour aller faire s'écraser l'appareil, un Airbus 340, dans le champ voisin de la M-25. (La caméra pivote alors et prend en plan large le champ, littéralement divisé par une longue traînée noire, comme une rivière de suie, flanquée de part et d'autre de ce que Jacob a pris pour des rochers blancs.) On peut observer les morceaux de carlingue éparpillés sur une bonne largeur, et, aux abords du silo qu'on aperçoit à droite, le nez de l'appareil, complètement retourné, le métal déchiré et noirci. Selon les premières informations, bien qu'il y ait eu plusieurs Français à bord, on en ignore toujours le nombre. Ce qui est probable, et évident lorsqu'on observe la scène d'ici, c'est que sur les cent soixante-huit personnes se trouvant à bord de ce vol effectuant le trajet Frankfort - Londres, les chances de retrouver des survivants sont presque nulles. »

Les chances sont presque nulles.

– Jake ? Jake tu sais qu'il est *possible* qu'elles n'aient pas été à bord... Jake ?

Jacob actionne la télécommande, trouve une autre chaîne qui relate la catastrophe. Immobile, il fixe l'écran et respire très lentement, une inspiration à l'heure, on dirait.

Jacob ferme les yeux.

Jacob ouvre les yeux.

Un long pendule.

Jacob garde les yeux fermés, refuse de répondre, retarde le moment.

Elles sont là. Elles t'attendent.

– Monsieur ?

Une main se pose sur son épaule, censée le réconforter, lui donner la force.

– Vous voulez quelques minutes de plus, monsieur Bespin ?

– Non, fait Jacob, relevant la tête, les yeux piquants. Je vous suis.

L'homme au complet exempt de toute poussière, à la cravate rayée, avec juste assez de compassion, conduit Jacob au-delà des alcôves jusqu'à un couloir adjacent muré de miroirs sur tout un côté. Il regarde son reflet le suivre pas à pas, infaillible ; l'un détaille l'autre, également surpris de l'allure moulue, vannée de la démarche ; du vide dans les yeux, révélant les heures de sommeil perdues ; de la mollesse des mains, de la courbure des épaules.

Élia me reconnaîtrait-elle ? Ma propre fille saurait-elle que je suis le même homme avec qui elle a fait ses devoirs, des casse-têtes, de la peinture aux doigts ? Ou décamperait-elle à la vue de ce spectre qui fut autrefois Jacob Bespin ?

Anna, me reconnaîtrai-je moi-même un jour ?

– Par ici, monsieur Bespin. Nous devons descendre par cet escalier.

Jacob et son reflet sursautent ; un instant ils ont oublié la raison de leur visite, l'endroit où ils se trouvent, le cauchemar embrumé des treize derniers jours. Les rayures sur la cravate de l'homme devant eux, son air à la fois compatissant et professionnel, les ramènent tous les deux à leur réalité respective.

– Pardonnez-moi, fait Jacob qui tente de sourire puis abdique finalement. Il n'a cure d'être gêné ou honteux.

Il fait un pas en avant, mais son reflet, lui, reste sur place dans l'autre versant. Le reflet de Jacob n'a pas le courage de son hôte. Il restera ici, dans le couloir, pour toujours. Aller où va l'autre Jacob est trop pénible. Adieu.

– Par ici, répète l'homme désignant un escalier sobrement éclairé.

Jacob entend ses talons cogner le bois des marches, glas factice, comme des coups de feu à blanc. L'odeur des fleurs est plus volatile, ici, plus capiteuse, comme si on cherchait à en dissimuler une autre, à déguiser l'affreux, à fausser la nature de ces lieux.

Tout proche, maintenant. Les entends-tu ?

L'homme s'apprête à ouvrir une porte en chêne garnie de cuir sombre.

– Attendez, fait Jacob, tremblant de tout son corps. Est-ce que je suis obligé de les voir ? Je veux dire, est-ce que... est-ce que je...

L'homme se tourne vers lui, croise les mains devant son veston ajusté.

S'il m'offre encore quelques minutes de plus, pense Jacob, *je crie.*

La voix résonne d'une sincérité qui, malgré qu'elle soit le fruit de plusieurs années de pratique, a les effets escomptés.

– Monsieur Bespin, les cercueils devront rester fermés, vu les circonstances. Je comprends le désarroi qui vous submerge aujourd'hui, mais sachez que toute cette démarche, bien que pénible, est nécessaire. (Il marque une pause.) Elle l'est tant au niveau légal, monsieur, qu'au processus de deuil que vous traversez en ce moment. (Pause. Main délicate sur l'avant-bras de Jacob.) Nous prendrons le temps qu'il faudra ; vous ne serez, ici, ni bousculé ni pressé. Si vous préférez retourner...

Jacob expire tout l'air qu'il retient d'un coup, comme le souffle d'un guerrier.

– Non. Allons-y.

Il fait un pas vers la porte de chêne que l'autre a ouverte. Avant d'entrer dans la salle, il s'arrête et regarde l'employé des pompes funèbres droit dans les yeux.

– Par contre, s'il m'arrivait... quelque chose, quoi que ce soit, vous comprenez...

L'homme comprend.

– Enfin... si vous le jugez pertinent, il y a un homme dans une voiture bleue, juste en face. Il s'appelle Samuel Caplan. Allez le chercher, d'accord ?

– Je le ferai, monsieur.

– Merci.

Ils pénètrent dans une antichambre où les relents

des fleurs assorties sont relégués au second plan, partiellement couverts par une odeur chimique, médicale. Jacob prie pour ne jamais en connaître l'origine. Sur tous les murs se découpent des portes numérotées de chiffres noirs en relief sur le bois laqué.

L'homme ouvre l'une d'entre elles et invite poliment Jacob à entrer.

Massifs, en équilibre sur d'étroits supports métalliques, les deux cercueils sont côte à côte, un grand et un petit, entourés de silence, noyés dans une écœurante sérénité. Ils ressemblent à des autels arrondis, le bois franc jouant mille teintes de beige et de doré, comme oubliées dans une crypte luxueuse et éclairée de chandelles. Jacob s'efforce de faire entrer l'air dans ses poumons.

Elles sont là. Elles te sont revenues.

Ses genoux cèdent, il s'écroule, rattrapé de justesse par l'homme aux plis parfaits. La douleur crée un vide dans son ventre, un vide qui aspire tout, menace de l'absorber tout entier. Jacob croirait à une certaine poésie si seulement il mourait tout de suite, couché sur le tapis entre les deux cercueils.

– Monsieur Bespin, commence l'homme qui, après avoir aidé Jacob jusqu'à une chaise, prend place sur une autre. Il est inutile de procéder à une identification des dépouilles. Cela a déjà été fait par les autorités compétentes des deux pays. Par contre, il y une étape que nous devons obligatoirement respecter.

Jacob tente d'articuler une question, mais elle se perd dans les sanglots.

– Il s'agit de la remise des effets personnels qui ont suivi les corps depuis Londres. Ceux-ci ont été répertoriés et scellés, puis mis dans une boîte que je dois vous donner en mains propres. Êtes-vous prêt pour ça ?

La voix de l'homme est douce, tout son visage baigne de sollicitude.

Jacob attrape quelques mouchoirs.

– Effets personnels ? s'enquiert-il, perspective qui le terrifie.

Leur héritage. Ce qu'elles étaient, à la fin.

L'homme hoche la tête.

– Vous savez, montre, bijoux, passeport, bagages. Tout ce qui a pu être établi comme appartenant aux membres de votre famille. Parfois c'est peu, d'autres fois beaucoup. Dans tous les cas, les gens trouvent un certain réconfort – pas toujours immédiat – au contact de ces biens.

Jacob inspire profondément, repousse un nouvel excès de larmes.

– Vous sentez-vous capable de procéder ?

– Oui, dit Jacob en se frottant les mains pour chasser le froid qui rampe sous sa peau.

– Bien, fait l'homme qui se lève, se dirige vers un comptoir marbré sur lequel repose une boîte de carton pas plus grosse qu'un coffre à bijoux.

Seigneur, s'il y a réellement un Seigneur, aidez-moi !

– Vous êtes témoin que je brise le scellé devant vous, monsieur Bespin. (Une lame tranche sans peine le carton.) Je vais vous laisser seul ; prenez tout le temps que vous voulez. Je serai derrière cette porte, juste là, en cas de besoin, ou quand vous serez prêt à partir. Seulement quand vous serez prêt.

Avec grâce, l'homme tourne ses souliers vernis, contourne les cercueils et sort.

La boîte repose sur une table devant Jacob. Elle est presque entièrement enrubannée et marquée de mots, de dates et de signatures illisibles. Jacob soulève le couvercle, craint ne pouvoir y arriver malgré sa légèreté.

– Anna...

Il voit tout d'abord les deux passeports, qui ont été glissés dans un sac de plastique, et dont la couverture du premier semble abîmée. D'une main tremblante, il ouvre un large sac, dans lequel il reconnaît les lunettes de soleil d'Élia, avec le cordon et les oursons jaunes sur les montures. Il reconnaît aussi le porte-monnaie d'Anna, qui contient toujours sa carte de crédit, son permis de conduire et des photos que Jacob est incapable de regarder. Puis un autre sac, plus petit et sous scellés, des petites bagues, des boucles d'oreilles, le jonc d'Anna.

Jacob lève les yeux vers les cercueils luisants, comme humides ; puis il tend la main gauche devant lui et regarde briller son propre jonc.

Il refoule les souvenirs qui remontent à la surface

de son esprit.

Au fond de la boîte roulent trois crayons de couleur que Jacob reconnaît aussitôt, les initiales d'Élia gravées dans le bois. Un court instant, il cherche à comprendre comment ces stupides crayons ont pu… puis il rejette cette avenue, inutile et douloureuse.

Sous le porte-monnaie, un dernier sac sur lequel on a apposé un commentaire en anglais. En plus petits caractères, quelqu'un a traduit : TROUVÉ À L'INTÉRIEUR DE LA BOUCHE DE LA DÉFUNTE.

Anna.

Jacob regarde à l'intérieur : c'est un morceau de papier, plié et replié, taché par endroits, comme si de l'encre s'était répandue. Il glisse un doigt dans le sac et l'ouvre, en sort le contenu froissé : une lettre écrite au stylo, une écriture qu'il reconnaît malgré les mots coupés, les lettres aux tiges allongées, aux voyelles saccadées.

Avant de lire, Jacob inspire douloureusement.

Et ferme les yeux.

* * *

Jacob
Problème On doit se préparer à un atterrissage forcé
Des gens pleurent d'autres crient sans cesse
Gémissements qui semblent provenir d'un moteur
L'avion penche d'un côté j'ignore à quelle altitude
J'ai peur

Élia est à côté de moi elle a si peur Jacob tremble et pleure Je ne sais plus quoi lui dire Me serre si fort la cuisse qu'elle est engourdie

Une secousse nous tombons nous tombons

Jacob je t'aime JE T'AIME Élia aussi Elle a vu que j'écrivais elle te dit qu'elle t'aime Quoi qu'il arrive sois fort mein Lieber

Flammes par le hublot Nez de l'avion pique se redresse

Violentes secousses

Terre par hublot de droite avion stable Quelle distance ?

Chaleur

Je t'aime Jacob

Mama Papa ich liebe euch Ich werde euch immer lieben

Élia veut t'écrire Adieu

PAPA JE T'AIME X X X X X X X X X PAPA

(Le dessin inachevé d'une rose)

J'avais oublié.

Pardonne-moi Anna. Comment avais-je pu oublier ?
Combien de temps s'est écoulé depuis cette journée ?
Je me souviens des funérailles. Tes parents étaient là. Sam et Bernhard. Tes collègues, certains des miens, des amis. Des copines de classe d'Élia, du personnel de son école.
Je m'en souviens maintenant ; par contre, à l'époque, je ne voyais plus rien. Je ne mémorisais rien.
Ma vie s'est arrêtée le jour prévu de votre retour.
Où en suis-je, Anna ? Mort ? Mourant ? On me dirait prisonnier d'un cinéma où l'on passe le film de ma vie. Je ne peux que penser, rêver, me souvenir...

Il y a eu une voix. On a appelé un médecin.
Je suis dans un hôpital.
Que m'est-il arrivé ?
Où est Sam ?
J'ai entendu Bernhard.
Je suis vivant.
Je respire, seul mouvement qui me soit permis.
Même si je voulais mourir, Anna, je ne le pourrais pas.

Qu'elle vienne donc, cette mort ! Qu'elle emporte ce qui reste de moi !

Qu'on règle mes comptes!
Que je meure, Anna!
Que je meure enfin!

Ouvrir les yeux.
Ouvrir les yeux.
Je ne mourrai pas sans voir.
Ouvrir les yeux.

OUVERTS!

Je vois!
Regardez-moi, bande de fous! Je vois!
Vous m'aviez abandonné!
Pourtant je vois!
Je vois un plafond blanc, un rideau bleu, une fenêtre. Je vois de la neige qui danse derrière une fenêtre!

... et le reflet du feu qui craquait dans l'âtre; on était en décembre.

1

La chaleur apaisante émane en vagues succinctes du foyer, portées par les pales du ventilateur qui tournent lentement. Un bol de café entre les paumes, Jacob suit la chute des flocons au-delà des carreaux décorés de lumières de Noël. Les pensionnaires ayant tous quitté le salon d'accueil, le gîte s'est enveloppé de calme et restera ainsi jusqu'au matin. Jacob glisse une soucoupe sous le bol et va s'asseoir sur le sofa près de l'arche du hall d'entrée. C'est la place qu'il préfère. De là, la vue est large, englobant le salon et le lobby du gîte, les deux grandes lucarnes de la façade, le foyer et l'accueil, où Sam, ce soir, s'affaire à la paperasse quotidienne.

– Tu veux un peu d'aide, Sam ?

Celui-ci relève la tête et ses lunettes risquent de tomber, comme si la présence de Jacob l'avait surpris.

– Non, ça va, Jake. J'ai presque fini.

Jacob lève le bol de café en guise de toast.

Sam l'imite et soulève un verre dans lequel tournoie un liquide rouge.

– Je peux pas te convaincre de siroter un porto, vieux ? C'est Noël dans deux jours, après tout.

– Les cafés au lait de ton Bernhard me comblent tout à fait. Merci quand même.

– Santé, mon pote !

La vérité est tout autre et Jacob ne doute pas un instant que Sam la connaisse aussi. Il n'a pas touché à une goutte d'alcool depuis presque cinq ans. Pour lui l'alcool, c'était un plaisir d'homme marié, pas un vice de veuf.

Qu'il soit parvenu – avec un succès mitigé, toutefois – à reprendre l'enseignement à peine dix mois après le drame l'étonne encore. La direction de l'établissement avait été compréhensive, patiente, et l'est toujours à bien des égards. Il se demande parfois si le poids du deuil ne repose pas autant sur ses amis, ses collègues et ses étudiants que sur lui-même. Sa plaie s'est colmatée, aime-t-il penser. Elle s'est cousue au fil de jours pénibles et de nuits interminables, d'heures passées à scénariser une fin différente à son rôle de mari et de père. À réécrire le reste de sa vie, à en faire une histoire heureuse et longue – surtout longue –, autre chose que ce qu'elle est devenue : celle d'un enseignant à la fin de la quarantaine, grisonnant prématurément, aux rides profondes, comme griffées, qui passe le plus de temps possible au bureau afin d'éviter d'être chez lui.

Un peu dingue, entend-il les adolescents murmurer dans les couloirs de l'école.

Peut-être les murs eux-mêmes, affublés de photographies, de mémos, d'avis, pensent-ils la même chose de lui.

Où serais-je sans Sam ? Que serais-je devenu ?

Il n'a jamais pensé à s'enlever la vie, du moins

ne l'a-t-il jamais envisagé sérieusement. Pas plus que de retomber en amour, ce qui lui semble bien improbable, particulièrement lorsqu'il est confronté à son miroir. Mais sans Sam, il ne serait pas là, bien au chaud dans le plus joli gîte de la ville, un bol de café entre les paumes, au début du congé des Fêtes. Et pour l'instant – pour l'instant –, ça lui suffit.

– Vise un peu : une voiture, devant. Tu la reconnais ?

Jacob se redresse, jette un coup d'œil à la fenêtre.

– Avec cette poudrerie... difficile à dire. Une fourgonnette, je dirais. Tu attends d'autres clients ?

Sam détaille une liste de haut en bas avec l'index, secoue la tête.

– La grande chambre est occupée depuis hier par une famille de quatre et j'ai une femme seule dans la 2. Il me reste la 1, mais je te la réservais. La voiture est toujours là ?

Jacob lève une main en souriant.

– Oui et t'en fais pas, je vais rentrer bientôt. Tu pourras louer la chambre.

Sam braque sur son ami un regard sévère.

– Hé ! je peux leur dire que c'est complet, Jake. Y'a un hôtel minable plus loin ; sûr qu'ils ont des places libres, même à cette heure.

– Non, ça va aller, fait Jacob en se recalant sur le sofa. Te prive pas de clientèle, Sam. Je termine mon café et on se revoit demain.

Le carillon tinte. Jacob rassure son ami en mimant

des lèvres : « Tout est O.K. ». Il rentrerait chez lui, mijoterait dans un bain brûlant pendant une heure et tenterait de récupérer les heures de sommeil évanouies dans la dernière session scolaire.

Dans le hall d'entrée, un bruit de bottes que l'on secoue le plus discrètement possible, des pas timides mais pesants qui font craquer les lattes de bois du vestibule. Une lame de froid vient mordre les chevilles de Jacob.

De sa voix B & B, telle que Jacob la reconnaît, Sam lance :

– Bonsoir et bienvenue, monsieur.

– Bonsoir, répond le visiteur. La bouffée d'air froid qui accompagne cette voix fait souhaiter à Jacob d'être plus près de l'âtre.

– Désolé d'être si tard, poursuit la voix, je roule depuis sept heures et c'est le premier gîte que je croise.

– Je savais qu'on avait bien fait de le bâtir à cet endroit, fait Sam, et Jacob sourit à cette réplique, un classique de la maison.

– Vous avez une chambre ?

Jacob sent le regard de Sam se poser sur lui, entend l'hésitation, en est reconnaissant.

– Vous êtes béni, il m'en reste une, dit Sam, affable. Pour une seule personne ?

– Oui merci.

– Combien de nuits ?

– Ah, je dirais... trois ou quatre. C'est possible ?

– Attendez voir... Oui, quatre nuits, chambre numéro 1. Jusqu'au 27, donc. Pas de problèmes. C'est à quel nom ?

– Lorenz. E – N – Z. Thomas.

Le bol de café reste collé aux lèvres de Jacob.

Sam épelle :

– L – O – R...

– Thomas Lorenz ? coupe Jacob en détaillant l'homme bien mis dans un long manteau de tweed, le collet enneigé sous ses joues rosies.

– Pardon ? fait l'autre qui se tourne vers le salon, son visage joufflu éclairé dans le feu du foyer. Tom Lorenz, oui.

– Tommy ? Tommy... le Tonneau ?

L'homme s'esclaffe et se tourne vers Sam, dont la mâchoire semble s'être décrochée.

– Le Tonneau ! s'exclame l'homme, ahuri. Ça fait des siècles qu'on ne m'a pas appelé comme ça... Et vous êtes monsieur ?

Jacob dépose le bol sur une table basse, se lève d'un bond et marche vers le comptoir d'accueil.

– Jake Bespin ! rugit-il en tendant la main droite que Thomas Lorenz serre avec précautions.

– Jake ? marmonne-t-il, gêné, sa poigne vague et timide.

– Et voilà Sam Caplan, propriétaire de ce magnifique établissement !

Sam hausse les épaules, muet de surprise. Thomas recule d'un pas et se prend la tête à deux mains comme si son cerveau venait d'être pris d'assaut par une armée de guêpes invisibles. Il empoigne derechef la main de Jacob, et la secoue vigoureusement.

– Bon sang! C'est pas croyable! Sam et Jake! Ça remonte à loin, dites donc. Je... (Son sourire s'estompe, l'expression passe d'un masque à l'autre.) Hé, messieurs, je sais que les années ont passé, mais... Si je suis pas le bienvenu ici, faut me le dire, hein? souffle Thomas Lorenz, embarrassé.

Jacob lève un sourcil vers Sam qui affiche une mine dure, ses lèvres pincées pour former un trait mince et blanc.

– Hem, je sais pas trop, glisse-t-il entre ses dents, fusillant l'homme d'un regard courroucé. J'ai jamais oublié les pétards.

Sa main toujours dans celle de Lorenz, Jacob comprend les mauvais souvenirs que peut évoquer la simple mention de Tommy le Tonneau; mais l'homme qu'il a devant lui semble bien loin du gamin lourdaud de jadis, terreur de la cour d'école, du misérable emmerdeur qu'il a été. La réaction de Sam le dérange, mais celui-ci a toujours eu plus de caractère que lui, de rancœur. Peut-être que si Jacob avait lui-même vécu dans sa peau pendant l'adolescence, subi les regards hargneux, les moqueries homophobes, il aurait été plus enclin à être méfiant.

Étrangement, Jacob, lui, est content de revoir Tommy. Ce dernier ne ravive pas d'anciennes terreurs, mais plutôt l'apaisant rappel d'une époque lointaine où les soucis étaient moindres, où tout semblait plus simple, du moins en surface.

En fait, Tommy relève d'un temps antérieur à Anna et Élia.

– Allons, je déconne, dit Sam en tranchant le silence avec son rire de hyène. Vous auriez dû vous voir tous les deux !

Soulagés, les deux autres se joignent à la rigolade, derniers relents de tension subitement évacués.

– Comment ça va, Tommy ? reprend Sam, s'accoudant au comptoir. Ça doit faire vingt-cinq ans, merde ! Qu'est-ce que t'es devenu ?

– Si je vous disais policier, vous me croiricz ?

Nouveaux rires qui attirent Bernhard et le font sortir des cuisines.

– Bernhard, je te présente Thomas Lorenz, un... un ami d'enfance.

Les deux hommes se serrent la main, puis Thomas Lorenz défait les boutons de son manteau, plie son foulard et l'enfouit dans une poche en débitant le reste d'un ton jovial.

– Quelle coïncidence ! Ça remonte à... voyons voir, mes parents ont déménagé alors que je commençais mon premier secondaire. Donc on parle de '81 '82, peut-être ?

Sam prend l'air d'un homme à qui l'on énonce l'une des sept vérités.

– Je comprends maintenant pourquoi tout a été si agréable après la sixième année, hein, Jake ? lance-t-il.

– Et comment ! fait Jacob en hochant la tête. Il joue le jeu car il sait que la réalité, du moins pour Samuel, a été tout autre. Me dis pas, Tommy, que c'est la première fois que tu remets les pieds en ville depuis le temps ?

– Non, soupire Thomas Lorenz avec une pointe d'amertume. Ma grand-mère maternelle habitait jusqu'à dernièrement dans le quartier sud, une grande maison où on la visitait aussi souvent que possible, c'est-à-dire pas assez. (Il marque une pause.) Bref, elle est morte ce lundi, chez elle, aussi seule qu'on peut l'être. Enfin... vous comprendrez que je tenais pas à passer la nuit là-bas.

Jacob tape amicalement l'épaule de son vieil ennemi.

– Condoléances, Tommy.

– De notre part aussi, reprend Sam gentiment. Écoute, tu restes tant qu'il le faut. Voici la clef de la chambre 1. On règlera les détails demain.

– Merci, Samuel, Jacob, dit Thomas. Ça fait vraiment bizarre de vous revoir par une telle soirée. C'est... c'est tout bonnement irréel. Et bien agréable.

Les deux autres opinent du chef.

– Bon ! continue-t-il en repassant le foulard autour de son cou avant de se diriger vers le vestibule. Je vais chercher mes affaires. La chambre est à l'étage ?

– Exact, par l'escalier juste là, puis la première à droite. Les autres sont occupées, alors soit discret en montant.

Le cœur léger, Jacob traverse le hall et attrape sa parka pendue à un crochet de bois.

– Je te donne un coup de main, Tommy, et ensuite, pourquoi ne pas partager un café avec nous ? Le chef Bernhard rouvrira bien sa cuisine pour un copain de longue date, hein, Sam ?

Sam le transperce d'un regard noir qui ne peut, cette fois, convaincre personne.

– *Copain* ?

Les rires ne s'éteignent que lorsque le vent et le froid les emportent.

* * *

Quand Thomas Lorenz monte dormir, ivre de souvenirs et du sommeil plein les yeux, il est tard et les bûches ne sont plus que cendres dans le foyer. Dehors, le vent bouscule des nuages de neige, venu d'on ne sait où au nord. Le gîte, frappé de biais, craque et gémit.

Sur le divan, Jacob compte les bols de café puis échappe un long bâillement.

– Tommy le Tonneau. Ici. Ce soir. C'est pas croyable, non ?

– Tu peux le dire ! C'est qu'il a bien tourné, le salaud, hein ?

– Tout comme toi, Sam, fait Jacob, en pensant au gîte, à Bernhard.

– Comme nous tous, renchérit Sam. Mais au

moins, toi et moi avons l'avantage d'avoir attendu qu'il aille se coucher.

– Qu'est-ce que tu veux dire ?

D'un ton conspirateur :

– Il y a des feux d'artifice dans la remise ; je les gardais pour la prochaine fête des neiges, mais... si on allait en glisser quelques-uns – allumés, évidemment – sous la porte de la chambre numéro 1 ? (Sa bouche s'étire en un large rictus.) En souvenir du bon vieux temps ?

Jacob hésite, puis éclate de rire.

Sam lève les mains comme en signe de reddition.

– O.K. Mauvaise idée. Je présume qu'on est trop vieux pour ces conneries...

Il se lève et se dirige vers une haute armoire qui occupe tout un coin du salon. D'une tablette, il ôte une épaisse couverture et un gros oreiller.

– Sam, je sais maintenant que t'es pas rien qu'un gai heureux et assumé ; t'es un gai heureux, assumé, et débile profond.

– Merci. Tiens, mets-toi à l'aise, fait Sam en tendant la literie improvisée à Jacob. Pas question que tu retournes chez toi à cette heure et par ce temps.

– O.K., fait Jacob. Je m'éclipserai en douce avant que les clients ne descendent ; promis. De toute façon, je suis crevé. Même tout ce café ne me tient plus éveillé.

– Tu veux que je mette quelques bûches dans le foyer ?

– Ça serait gentil.

Bientôt, Jacob n'a plus que vaguement conscience des mouvements de Sam, comme s'il les percevait à travers une brume dense. Il entend le bruit du bois que l'on jette au feu, de la perche raclant la brique chaude, des tisons qui craquent, le tout couvert par le voile diffus du sommeil qui s'abat sur lui. Fatigue lourde, pesant telle une vaste toile dont nul ne peut s'échapper. Qui fait sombrer dans l'hébétude des premiers rêves, avec leur curieuse imagerie ponctuée de couleurs et de sons.

Il voit Tommy le Tonneau – l'ancien Tommy – qui marche main dans la main avec une fille; elle porte un costume d'ange, car des ailes flottent dans son dos. Jacob croit la reconnaître et veut l'appeler, l'avertir que Tommy – curieusement coiffé d'une casquette de policier – cache un bâton de baseball le long de sa jambe. Elle n'en sait rien car si elle savait, ses yeux ne seraient pas comme des étoiles, brillantes d'une joie pure. Il veut l'avertir du piège, mais il ignore son nom. Il a la certitude, en fait, qu'il ne l'a jamais su, ce nom, et que ça lui coûtera la vie, à l'ange de son enfance. « Jake! » fait Sam qui sort de l'école, car c'est là où ils se trouvent, dans la cour d'école, « Tu viens? Tout brûle. » et c'est vrai, le feu est visible par toutes les fenêtres. Il danse derrière celles de sa classe, où il aperçoit madame Bibi qui les salue gentiment, la main en feu – *la main en feu* – avant de disparaître quand toutes les fenêtres explosent et que de longues flammes s'en échappent. « Jake ! faut partir, mon pote », dit un Sam devenu adulte ; ses joues sont grises, cireuses. Il tente de parler mais ses yeux sont vides, rien que des trous enfumés, qui terrifient Jacob-l'enfant. « Trop tard », pense Jacob dans son rêve.

Trop tard.

* * *

Beaucoup plus tard, la cause du sinistre serait expliquée, documentée, puis ajoutée aux statistiques sans que cela ne vienne apaiser les âmes blessées, ni rapiécer les vies brisées. Le journal local en ferait sa une avec une photo des ruines fumantes, des poutres calcinées, noires comme des chicots et enveloppées de glace, se détachant de manière dramatique sur la blancheur de l'hiver. Des poursuites seraient intentées, des sommes d'argent passeraient entre plusieurs mains, pas toujours propres. Après quelques semaines, les voisins, les commerçants du coin, n'en parleraient déjà plus, sauf pour en faire le récit à des curieux. Six mois après ? Allez savoir. Le terrain sur lequel trônait le gîte de Samuel Caplan et de Bernhard Renner – qui rehaussait le paysage de par sa rusticité élégante, le charme de ses grandes fenêtres flanquées de volets vernis – serait vendu à un promoteur à l'affût d'une occasion en or.

Un an, et le gîte ne serait plus qu'un souvenir,

uniquement visible en photo derrière la figure souriante des touristes, photos perdues dans des albums qu'on ouvrirait rarement. On y mangeait bien, diraient certains ; dans quelle ville étions-nous, demanderaient d'autres. Un souvenir ? À peine l'ombre d'un souvenir.

Pour Jacob Bespin, la cause officielle de l'incendie, qui atteignit le point de non-retour en moins de quarante-deux secondes, restera un mystère. Quand il est arraché du sommeil par l'inconfort que provoque dans sa gorge l'air enfumé, Jacob ne pense pas à la cheminée de briques traversant l'étage, à la cigarette d'un pensionnaire ou à une fuite de gaz dans la cuisine du gîte.

Jacob n'imagine pas tout ça : il passe à l'action.

D'instinct, il se couvre le nez et la bouche avec le col de son chandail, espérant ainsi neutraliser le poison somnifère qui flotte dans la pièce. Il perçoit le lointain braillement d'un détecteur de fumée, comme cloisonné, étouffé. Jacob fait un tour sur lui-même, ne constate aucun indice de flammes. Les volutes grises léchant le plafond, doublées de la chaleur élevée, lui laissent croire que le feu, où qu'il soit, fait déjà rage.

Il marche jusqu'au comptoir, remarque la valse effrénée des poissons rouges dans l'aquarium mural de Bernhard, et entre dans la cuisine. L'extincteur rouge est arraché de son socle d'un seul coup. À gauche, Jacob voit danser des reflets sur la partie visible de l'îlot central de la cuisine. Le mur ouest de la cuisine est voilé de flammes qui bougent, tel un rideau vivant cousu de jaune et d'orangé, au-dessus d'un long étal. Jacob retire la tige de sécurité de l'extincteur et vise, puis renonce, sait qu'il est trop tard : tout ce qui reste à faire, c'est de sortir d'ici.

– Sam ! crie Jacob, une main en porte-voix par-dessus le chandail, mais il pense être seul au rez-de-chaussée, toutes les chambres se trouvant au deuxième et au troisième.

La vue embrouillée, Jacob retourne au salon qu'il traverse en hurlant les noms des propriétaires. Au pied de l'escalier, une femme vêtue d'une robe de nuit le croise et détale vers la sortie sans le voir.

– Madame ? Est-ce que vous avez vu...

Mais déjà elle est dehors.

– Appelez à l'aide ! crie Jacob, qui espère qu'elle ait entendu.

Jacob monte les marches, qu'il gravit quatre à quatre, et continue à hurler le nom de ses amis ; il frappe sur le bois des murs, fracassant du poing la vitre de cadres accrochés ici et là. Quand il atteint l'étage, il aperçoit une silhouette dans le couloir qui tente d'enfoncer du pied la porte de la chambre numéro 3.

Thomas Lorenz, jadis dit le Tonneau.

– Jacob ! J'ai déjà appelé le 9-1-1 ! La femme de la 2 est sortie ! Faut évacuer le reste !

Un court instant, Jacob est incapable de bouger ;

il regarde Tommy, le garçon qui a empesté certains des meilleurs étés de sa vie. Tommy le Tonneau, qui assène de solides coups d'épaule sur le bois de la porte de la chambre 3, au deuxième étage du gîte de son ami Sam, la personne qu'il aime le plus sur cette fichue terre.

Qui brûle. Le gîte brûle.

– Jacob ! Jacob ! Il faut faire sortir Sam et Bernhard ! Tu sais où ils sont ?

Du doigt, Jacob montre le bout du couloir où se profile le second escalier, au-delà de la troisième chambre et de la salle de bain commune.

– En haut !

Dans un craquement, la porte cède enfin et Thomas Lorenz s'engouffre dans la chambre. Quand il en sort, c'est à la suite d'une femme et d'un homme, celui-ci tenant un très jeune garçon dans ses bras. Ils marchent serrés, couverts d'un large édredon et se dirigent vers l'escalier en toussant violemment. Dans les bras de Thomas, une fillette inconsciente, ses petites mains inertes dépassant des manches de sa jaquette bleue.

Non, d'une robe bleue.

Jacob échappe l'extincteur, devenu tout à coup trop lourd.

Élia.

Ma rose.

Une explosion quelque part secoue le gîte.

Tommy fonce dans le couloir, Élia blottie contre

lui.

– Jacob ! La bâtisse peut sauter n'importe quand ! Viens !

Jacob regarde à nouveau la fillette, sa bouche ouverte, incapable de bouger.

Non. Pas Élia.

– Viens Jacob ! ordonne Thomas Lorenz.

– Sam est là-haut, répond Jacob. (Il ramasse l'extincteur et fait un pas vers le fond du couloir). Il faut que j'y aille, Tommy !

– Tout risque de sauter, Jake !

Il faut que j'y aille, pense Jacob qui oublie Tommy, la jaquette bleue, la chaleur qui monte et lui pique la peau. Il s'accroupit, prend trois rapides inspirations puis une autre, longue, profonde et brûlante, puis monte l'escalier qui mène à l'étage où habite le meilleur ami qu'il ait jamais eu.

– Sam ! Bernhard ! crie Jacob en refermant la main sur la poignée ; il la retire aussitôt, mordu par la chaleur. Sam ! Tu m'entends ?

Morts. Ils sont tous les deux morts.

Le front contre la porte de l'appartement, il sent la chaleur du bois et n'ose imaginer l'enfer derrière. Le bruit de deux autres explosions monte jusqu'à lui, de la cuisine, pense-t-il.

Le temps manque.

De toutes les forces qui lui restent, Jacob abat l'extincteur sur la poignée.

Anna. Élia. Et maintenant Sam et Bernhard.

Il frappe encore.

Je les ai tous perdus.

– Non, rugit Jacob en s'acharnant sur la poignée qui résiste quelques moments avant de céder, désarticulée, tordue.

D'une savate, Jacob pousse la porte qui s'ouvre à la volée ; une bouffée d'air chaud et de fumée lui fouette le visage et il réajuste le col de son chandail, son masque de fortune. Jacob tente d'ignorer la peur qui veut le ralentir, le sommer de déguerpir, de sauver sa propre vie.

C'est ce que je fais, pense Jacob avant d'entrer. *Sauver ma vie, c'est exactement ce que je fais.*

Dans la pièce, un épais nuage gris a remplacé le plafond et la chaleur est partout. Jacob voit danser des flammes, comme des vagues, par la fenêtre du petit salon. Il sait maintenant que le bâtiment n'est plus qu'un piège mortel, une prison de feu.

Ici, une scène terrifiante.

La moitié du mur gauche, celui donnant sur l'extérieur, est parsemée de cloques de peinture, comme en ébullition. Dans un coin, des lattes de bois franc sont noircies et fument ; Jacob croit sentir le parquet chauffer sous ses pas. Il perçoit, malgré son masque et la brûlure qu'est chaque inspiration, diverses odeurs flottant dans l'air : celle du café trop bouilli ; celle âcre, déplacée, de savon à lessive ; celle, maintes fois amplifiée, d'un foyer allumé.

– Sam ? lance-t-il encore et encore, une prière plus qu'un cri. *Sam !*

– Jacob fait une voix lointaine, à des kilomètres. Jacob ! (la voix est scindée par une longue toux râpeuse) ... chambre...

Bernhard.

Jacob fonce vers la voix, au fond de l'appartement ; devant lui, une porte entièrement conquise par un voile de fumée grise. Il ressent maintenant la chaleur comme si elle courait dans son corps ; son front, ses oreilles, ses mains, toute la peau exposée est comme à vif.

Il approche prudemment sa main libre de la poignée de porte : chaude, même à distance.

– Bernhard ?

Il attend, les sens à l'affût ; si cela n'avait été de la rumeur malsaine des flammes, du crépitement incessant du bois en combustion et du martèlement de la panique sur ses tempes, cette absence de réponse l'aurait rendu fou.

– Bernhard !

En guise de réponse, une toux. Qui s'affaiblit.

Affolé, Jacob recule d'un pas et s'élance sur la porte fumante, épaule première, encore et encore, chaque assaut plus douloureux que le précédent.

Jusqu'à ce que la porte cède.

À l'intérieur, la chambre est voilée d'un brouillard opaque, mortel.

Jacob se jette à genoux et avance à quatre pattes

jusqu'au côté du lit où deux silhouettes familières, proches l'une de l'autre, gisent, comme endormies.

– Sam ! crie Jacob, et la fumée bouge devant sa bouche.

Bernhard lève la tête : son visage est pâle et vieux.

– Il s'est... heurté la tête... (Ses mots sont coupés par des quintes de toux sèche.) Pouvais pas... le laisser...

– Faut sortir d'ici tout de suite Bernhard, O.K. ? dit Jacob en passant un bras sous la nuque de Sam. Foncer dans le couloir !

Bernhard ne peut répondre ; il s'est assis sur le bord du lit, le temps que s'atténue une toux sévère, comme arrachée du corps, interminables coups de couteau.

Jacob ose un regard vers le salon : des flammes lèchent tout un mur et menacent celui où se trouve leur unique issue. La chaleur est aussi un mur, quasiment physique. Combien de temps avant qu'il ne soit infranchissable ? Il pense à Tommy qui tenait dans ses bras la fillette à la jaquette bleue, exactement comme lui porte le corps inerte de son ami.

Tommy qui dit : « La bâtisse peut sauter ».

Jacob fait un pas vers le salon.

– Bernhard ! Faut y aller !

Mais l'Autrichien gît sur le lit, inconscient.

Tandis que le monde brûle, le temps s'arrête.

Je me souviens.

Le temps s'était réellement *arrêté à ce moment-là.*

J'étais debout dans le chambranle, étourdi par la fumée et par la peur, incapable d'envisager ce qui s'imposait : sortir de cet enfer avec toi, Sam, et abandonner l'homme que tu aimais. Les flammes dansaient par la fenêtre, elles commençaient à dévorer l'étage. Je ne pourrais pas remonter une deuxième fois. Je le savais, Sam. Et tu allais, à ton tour, perdre la personne qui t'était la plus chère au monde.

Et j'en serais responsable.

Allais-je réussir à te mentir quand tu exigerais de savoir ce qui s'était passé ? Saurais-je soutenir ton regard quand je te dirais que Bernhard était resté introuvable ? Alors que la vérité était tout autre : Bernhard était resté à tes côtés, dans la chambre, épuisé et fidèle jusqu'à la fin. Qu'adviendrait-il de nous, Sam, quand tu percevrais la honte dans mon regard et que je passerais aux aveux ?

Je te dirais que le choix n'en était pas un, qu'il m'était impossible de vous sortir de là tous les deux. Que...

Mais ça ne changerait rien.

Car tu te retrouverais seul, comme je l'avais été depuis la mort d'Anna et d'Élia.

Isolé dans la douleur du deuil, alors que le reste du monde continue et que tu le détestes, ce monde, tous ces vivants qui te rappellent ceux et celles qui l'ont quitté ; que la faim te rappelle que toi tu l'es, vivant, mais que tu refuses de manger, comme si tu en avais perdu le droit ; quand chaque bouffée d'air est un crime, chaque rire que tu échappes un viol de la mémoire des disparus.

Tu le hais, ce monde. Parce que ce n'est plus le tien.

Les nuits qui n'en finissent plus et les réveils qui tuent, quand ils se font dans le silence complet de la solitude.

C'est à ça que je pensais, Sam, tandis que ton corps s'alourdissait dans mes bras.

Et le temps, le temps ne s'était pas arrêté, je le compris. Non, il fuyait, plutôt.

Et nous allions en manquer.

J'allais te sortir de là, Sam, et j'implorerais ton pardon plus tard.

Une main sur son épaule. Forte.

– Jacob ! Qu'est-ce que tu attends ?

Des secondes passent et Jacob ne reconnaît ni la voix, ni l'homme qui le contourne et s'approche du lit où gît Bernhard Renner. Cet homme qui s'approche de la forme endormie de Bernhard s'apprête à le soulever. Un homme qui, quelques heures plus tôt, n'était encore qu'un mauvais souvenir.

Tommy Lorenz.

Dit le Tonneau.

– Là on fonce vers le couloir, O.K. ? L'escalier est encore praticable, mais pas pour longtemps ! Kff-kfff ! Tu comprends, Jacob ?

– T'es revenu, Tommy...

L'homme délaisse Bernhard et vient poser ses larges mains sur les joues de Jacob ; leurs regards sont vissés l'un dans l'autre. Ses bras nus sont marqués de brûlures et de suie.

– Jacob, dit doucement Thomas, écoute-moi. Je m'occupe de Bernhard. On va tous sortir d'ici vivants. Vas-y !

Jacob fait alors quelque chose qu'il trouve ridicule : il sourit. Il sait qu'il doit avoir l'air d'un parfait idiot ; quand il y repensera, plus tard, sans doute se traitera-t-il d'idiot lui-même.

Mais là, à cette heure terrible, dans le vacarme du bois qui brûle et du feu qui souffle, Jacob sourit.

Oui je souriais.

Je souriais à Tommy, mais aussi à Leander Smitrovich. À sa vision du destin, à la petite fille aux souliers rouges. Et j'acceptai à ce moment-là – d'une manière profonde, spirituelle – que le destin y était bel et bien pour quelque chose dans ce foutu monde. Que celui de Tommy ne l'avait pas conduit jusqu'ici pour rien. Que son destin avait fait de lui un policier. Qu'il avait possiblement coordonné le décès de la grand-mère Lorenz afin que Tommy revienne dans son patelin en ce 23 décembre. Que Tommy vienne frapper à la porte du gîte de Sam en cette nuit fatidique.

Je ressentais une sérénité totale tandis que je traversais le salon enflammé. L'air était un poison terrible, la chaleur insoutenable, et pourtant j'allais me rendre jusqu'à l'escalier, même s'il s'était trouvé à des milles. Et Tommy serait derrière moi avec Bernhard dans les bras.

Nous allions les sauver tous les deux, j'en étais persuadé.

C'était notre destin.
Or, au bout du couloir, l'escalier brûlait.

– Tommy ! On peut pas descendre ! crie Jacob en se retournant.

Derrière Jacob, le policier tousse et fait oui de la tête.

– Reste cette fenêtre, dit Jacob.

Par celle-ci, ni flamme ni fumée pour bloquer la vue. Sur le mur de l'immeuble voisin dansent les reflets rouges des gyrophares des camions de pompiers.

– Les secours sont là ; faut signaler notre présence ! crie Tommy, avant de coucher Bernhard sur le tapis du couloir ; Jacob l'imite et place Sam tout près.

Tommy déverrouille la fenêtre et Jacob l'ouvre d'un coup. Le vent froid qui s'engouffre dans le couloir fait contraste avec la chaleur qui les cerne ; il est comme un baume sur le visage des deux hommes, mais ne fera qu'aggraver les choses, ils le savent. Comme aspiré, un bras de fumée s'échappe vers l'extérieur et monte vers le ciel.

La moitié du corps au-dessus du vide, ils appellent à l'aide, de toute la force qui leur reste, les cris blessant leur gorge asséchée. Quand une série d'explosions fait éclater les portes du couloir derrière eux, Thomas Lorenz attrape Jacob par le bras.

– Faut sauter !

– Et Sam et Bernhard ?

Lorenz fait non de la tête.

– Tommy... on peut pas...

Tommy sort à nouveau la tête par la fenêtre : la neige en bas est luisante, fondant à vue d'œil. Son regard croise celui de Jacob et il comprend. Jamais Jacob Bespin ne sautera.

– O.K. ! Restez loin des flammes ! Je reviens avec du secours !

Puis il saute dans l'hiver.

Jacob le regarde s'enfoncer dans la neige et échapper un cri. Tommy lève la tête vers la fenêtre et tend un pouce vers le haut. Sans plus attendre, il se met à boiter dans l'allée qui mène à la rue tout en appelant à l'aide et bientôt, il disparaît. À droite, des lumières rouges tournent toujours sur les bancs de neige et sur la façade briquée du cinéma en face du gîte.

– J-Jake ?

Jacob se retourne. À l'intérieur, l'un des deux hommes s'est relevé, appuyé sur un coude.

– Sam...

Sam.

J'étais si soulagé de t'entendre que j'aurais pu éclater en sanglots. Si j'en avais eu le loisir, je l'aurais fait. Mais les flammes continuaient à monter l'escalier, presque vivantes, comme si elles cherchaient délibérément à nous atteindre. D'autres jaillissaient des chambres abandonnées ; le tapis du couloir avait reçu une pluie de tisons et n'allait pas tarder à prendre feu.

Mais au moins, tu étais là, tu m'étais revenu ; le son de ta voix était encore meilleur pour moi que cette étrange brise d'hiver qui venait mourir sur nos visages. Même si elle se moquait de nous, de cet enfer, cette brise était bénie, sublimement froide. Or ta voix... ta voix était comme un miracle.

Un bras de flamme monta jusqu'à nous.

Il ne restait plus beaucoup de temps. Si la fumée ne nous tuait pas, ce serait le brasier qui s'en chargerait.

Je t'ai blotti contre moi et nous nous sommes assis sous cette fenêtre et cette brise.

« Bernhard... » que tu as dit ; j'ai répondu qu'il était là, qu'on sortirait d'ici bientôt tous les trois. Que Tommy allait nous sauver.

« Tommy le Tonneau...? »

Tu as ri, je m'en souviens. Oh, un tout petit rire, qui s'est égrainé dans une quinte de toux.

Et ça m'est revenu, tandis que le monde se consumait, tout ce que tu avais fait pour moi après la mort d'Anna et d'Élia. Les longs mois durant lesquels j'avais vécu ici au gîte, avec toi et Bernhard, toutes ces heures que tu avais passées près de moi, souvent sans rien dire, dans un partage de douloureux silences.

Ce gîte qui se consumait à grande vitesse et dont nous étions prisonniers.

– Monsieur !

Par la fenêtre, un appel.

Jacob se lève et regarde en bas.

Une foule de gens en uniforme, debout dans l'allée luisante de neige fondue.

– Pouvez-vous sauter ? hurle un pompier, flanqué de plusieurs autres, ainsi que de policiers et d'ambulanciers. Et aussi de Thomas Lorenz qui regarde vers la fenêtre l'air grave, en tenant un masque à oxygène sur son visage.

– Moi je peux ! crie Jacob. Mais y'a deux personnes ici qui pourront pas !

Dans l'allée, un conciliabule.

Derrière lui, une détresse.

– Jake ! Le feu est presque rendu ! Fous le camp !

Jacob se penche sur Sam qui a ramené le corps inerte de Bernhard près de lui. *Ils sont presque beaux, tous les deux*, pense Jacob.

– Pas question !

Le gîte est une fournaise et le couloir devient rapidement un tunnel de feu.

– Monsieur ! Vous êtes là ?

– Oui ! fait Jacob par la fenêtre.

En provenance de la rue, Jacob voit deux pompiers courir avec une échelle jaune. Suit une équipe médicale apportant une civière et escortée par des policiers.

– On monte vous chercher ! On vous descendra un par un !

– O.K. ! ... t'entends ça, Sam ?

Sam ne répond pas ; il s'est rendormi, les bras

croisés sur Bernhard, comme s'il le berçait avec tendresse. Jacob retient son souffle et pose la main sur la poitrine de son ami : celle-ci bouge à peine, mais elle bouge. Régulière. Vivante.

– On sort d'ici, vieux...

Oui, nous allions enfin sortir. J'entendais des ordres hurlés ici et là – d'évacuation, d'un danger imminent – à travers le bruit du bois qui craquait et du bruissement sourd des flammes. La colonne de fumée qui s'échappait vers l'extérieur semblait presque solide : on aurait dit le cou d'un serpent gigantesque. Et la chaleur... une enveloppe totale, un univers, une force contre laquelle on ne pouvait rien. Même l'hiver s'était avoué battu : aucune brise fraîche ne parvenait jusqu'à nous, à présent. On avait l'impression que cette chaleur seule pourrait nous tuer avant que le feu ne s'en charge.

Chaque inspiration brûlait mes poumons, comme si on les emplissait d'acide. Il était douloureux de simplement respirer; pourtant, mon esprit était clair, mes pensées limpides.

S'il y avait un « après » à ce cauchemar, j'allais me remettre à vivre. Pour vrai.

Au lieu d'attendre qu'elle passe cette vie, j'allais tenter de redevenir l'homme que j'avais été jadis. Je le ferais en leur mémoire.

Anna et Élia.

Et si, au lieu de vivre, tout devait se terminer ici, dans cet endroit où on m'avait accueilli après leur départ, si la fin était venue, je me sentais prêt.

Mon ange et ma rose.

Elles me manquaient tellement.

Quand apparaît, à la fenêtre, le visage masqué d'un pompier, Jacob est calme.

– Monsieur? Descendez tout de suite! fait une voix embouteillée.

Jacob fait non de la tête.

– Écoutez-moi! Les bouteilles de propane à l'arrière du bâtiment peuvent sauter n'importe quand!

Jacob fixe froidement le pompier.

– Lui en premier, dit Jacob.

Un instant le pompier ne bouge pas, attend. Le regard de Jacob aussi, attend.

Finalement, le sauveteur lève un pouce ganté et tend les bras.

Jacob y dépose Bernhard Renner qui commence, à son insu, la plus périlleuse descente de sa vie.

Mais Jacob n'en est pas témoin. Il est déjà à l'intérieur, près de Sam.

– Plus que nous deux...

Ses genoux et son dos craquent, cette fois, quand il soulève la forme inerte de Samuel Caplan. Puis adossé à la fenêtre, il attend. Regarde le mur de feu qui bloque la vue de l'appartement d'où ils sont sortis de justesse. Regarde les flammes qui claquent sur les murs du couloir et celles, plus rapprochées, dans l'escalier juste à gauche. Regarde le visage de Sam, toujours endormi. *Seulement endormi*, prie Jacob.

– Monsieur ? Je remonte ! Je…

Une secousse, qui relègue à de simples soubresauts celles que Jacob a ressenties depuis le début. Suivie de craquements venant de partout. Du gîte s'élève une plainte : celle de la charpente qui se tord et cède.

Quand le plancher du couloir s'ouvre sur plusieurs mètres, le tapis déformé par une bosse sur toute sa longueur, Jacob sait que ses secondes – les siennes, comme celles de Sam et de Bernhard – sont comptées.

Comme pour souligner ce fait, l'escalier s'effondre dans un nuage de braises.

– Jacob ? Tu dois sauter, tu m'entends ? fait une voix.

Jacob se tourne vers la fenêtre : en bas l'échelle gît sur le sol, emportée par le choc. Il passe la tête dehors, puis le corps de Sam au complet. L'allée a été abandonnée par les équipes de sauvetage. Les derniers d'entre eux courent vers la rue, vont se mettre à l'abri.

Personne n'est resté. Sauf Tommy le Tonneau.

– Je te l'envoie, Tommy ! O.K. ? Je t'envoie Sam !

– Pourrai pas, Jacob ! Ma jambe est foutue !

Des gens crient, au loin, de se dépêcher. D'oublier ça. Qu'il n'y a plus de temps. Que c'est de la folie. Qu'il est trop tard. Que...

– Hé ! À l'aide ! crie Tommy. Je vous en prie, *venez attraper cet homme !*

Jacob tremble, les bras meurtris, le poids de Sam

déjà trop lourd ; ses pieds dérapent. Et brûlent. *À quelle distance sont les flammes, à présent ? Combien de secondes reste-t-il ?* pense Jacob en regardant vers la rue où une foule de curieux regarde la scène, témoins immobiles et sidérés.

Sous lui, le plancher bouge et se défait par morceaux.

Dans son dos, Jacob sent la langue vicieuse du feu narguer sa chair, prête à l'envelopper, tel un linceul funèbre.

Les muscles de ses bras hurlent.

Dehors, Samuel Caplan glisse, glisse et tombe.

– Non ! crie Jacob.

Tombe dans les bras d'un grand pompier qui s'élance aussitôt vers un lieu sûr, n'importe où, sauf ici.

– À toi ! implore Tommy, emporté malgré lui par deux sauveteurs. Jacob !

Jacob cherche en bas le meilleur endroit pour atterrir.

La neige a disparu ; ne reste que l'échelle et le gravier humide de l'allée, cinq mètres plus bas.

– Papa ?

Une jambe à l'extérieur, Jacob fige ; malgré le feu ardent qui fait rage tout près, il sent les poils sur sa nuque devenir droits comme des aiguilles.

Élia ?

Jacob sonde les flammes.

– Hé ! Y'a quelqu'un d'autre ici ! crie-t-il à l'allée

vide. Hé !

Jacob fait face à l'enfer déferlant dans le gîte embrasé.

Cette petite voix. Une petite voix avec un doux, très doux accent, qu'il reconnaît. Qui l'apaise. La petite voix d'une rose bleue jouant dans l'herbe.

– Élia ? souffle-t-il.

Dans un imperceptible murmure.

Les appels, au loin, ne l'atteignent plus.

Jacob rentre la jambe, tourne le dos à la fenêtre. Les flammes dévorant le reste de l'escalier montent jusqu'à sa hauteur, s'en prennent à la frange de son pantalon.

– Papa ? répète la voix de la rose bleue, comme un chant qui traverse le vacarme du braisier.

Jacob fait un pas dans ce qui reste du couloir.

Un deuxième.

– Élia, pleure Jacob.

Élia.

À l'agonie, le gîte gémit, se distend et explose.

C'était en décembre.

Dehors, la neige tombe toujours, mais j'ignore si c'est le même hiver.

Je suis dans une chambre d'hôpital : des fleurs sur la table de chevet, le ronronnement de machines qui me surveillent.

Et mes paupières qui restent obstinément ouvertes.

Je suis incapable de fermer les yeux.

Élia, était-ce vraiment toi qui m'appelais à travers les flammes ?

Ou le bruissement de celles-ci qui se jouait de moi ?

Des pas. Quelqu'un approche.

– Jake...

Il est vivant.

– Jake, si tu peux m'entendre, sache que je suis là.

Sam est vivant.

– Tu nous manqueras, mon vieux...

« Nous ». Bernhard est donc avec toi.

Merci mon Dieu.

Tes lèvres sur mon front.

Alors, c'est tout.

Sam, mon ami, ne t'en fais pas.
Ça ira, je crois.
Désormais, je crains moins la mort que la vie.
Papa ?
Et il me tarde de les revoir , si tu savais à quel point.
Papa?

Tu te souviens ce que Smitrovich disait ?
« La vie est une guirlande faite d'inattendus. »
Il avait raison.

Papa, tu viens ?

Oui Élia, mon cœur, ma rose. Papa arrive.
Dis à maman que papa arrive.

REMERCIEMENTS

L'auteur tient à remercier, dans le désordre : Jaquy Lamps pour le travail éditorial; la gang des Mots Dits pour l'écoute et l'amitié; le comité du prix littéraire de l'Abitibi-Témiscamingue pour l'occasion inespérée; messieurs Baricco, King et Irving pour l'inspiration; et surtout Geneviève, William, Robin et Marianne pour l'amour.